La Route d'Altamont

Le texte de la présente édition de *La Route d'Altamont* est conforme à celui de l'Édition du centenaire des *Œuvres complètes* de Gabrielle Roy préparée par François Ricard, Isabelle Daunais, Jane Everett, Dominique Fortier et Sophie Marcotte.

Gabrielle Roy

La Route d'Altamont

roman

texte définitif

Boréal

Dépôt légal : 3e trimestre 2014
Bibliothèque et Archives nationales du Québec

Diffusion au Canada : Dimedia
Diffusion et distribution en Europe : Volumen

Catalogage avant publication de Bibliothèque et Archives nationales du Québec et Bibliothèque et Archives Canada

Roy, Gabrielle, 1909-1983

La route d'Altamont

(Boréal compact ; 47)
Éd. originale : Montréal : Éditions HMH, 1966.
Comprend des réf. bibliogr.

ISBN 978-2-89052-572-6

I. Titre. II. Collection.

PS8535.O95R6 1993 C843'.54 C2093-096945-6
PS9535.O95R6 1993
PQ3919.R69R8 1993

ISBN PAPIER 978-2-89052-572-6

ISBN PDF 978-2-7646-1277-4

ISBN ePUB 978-2-7646-1278-1

La Route d'Altamont

roman

Ma grand-mère toute-puissante

I

J'avais six ans lorsque ma mère m'envoya passer une partie de l'été chez ma grand-mère dans son village au Manitoba.

Je n'y allai pas sans regimber un peu. Cette grande vieille me faisait peur. Elle passait pour tant aimer l'ordre, la propreté et la discipline qu'il devenait impossible dans sa maison de laisser traîner la moindre petite chose. Chez elle, à ce qu'il paraissait, c'était toujours : « Ramasse ceci, serre tes affaires, il faut se former jeune », et autres histoires de ce genre. De plus, rien ne la mettait hors d'elle-même comme des pleurs d'enfant qu'elle appelait des « chignages » ou des « lyres ». Autre chose encore justement que ce langage à elle, en partie inventé, et qui était loin d'être toujours facile à déchiffrer. Plus tard, dans mon vieux Littré, j'ai pourtant retrouvé plusieurs expressions de ma grand-mère, qui devaient remonter aux temps où arrivèrent au Canada les premiers colons de France.

Malgré tout, elle devait souffrir d'ennui, puisque c'était d'elle que venait l'idée de m'inviter. « Tu m'enverras la petite chétive », avait-elle écrit dans une lettre que ma mère me montra pour me bien convaincre que je serais chez grand-mère la bienvenue.

Cette « petite chétive » déjà ne me disposait pas si bien que cela envers grand-mère ; aussi est-ce dans une attitude d'esprit plus ou moins hostile que je débarquai chez elle un jour de juillet. Je le lui dis du reste dès que je mis le pied dans sa maison.

— Je vais m'ennuyer ici, c'est certain, c'est écrit dans le ciel.

Je ne savais pas que je parlais ainsi le langage propre à l'amuser, à la séduire. Rien ne l'irritait autant que l'hypocrisie naturelle à tant d'enfants et qu'elle appelait des chatteries ou des entortillages.

À ma noire prédiction, je la vis donc — ce qui était déjà assez extraordinaire — sourire légèrement.

— Tu vas voir, tu ne t'ennuieras pas tant que cela, dit-elle. Quand je le veux, quand je me mets en frais, j'ai cent manières de distraire un enfant.

Pauvre chère vieille ! C'était elle, malgré sa superbe, qui s'ennuyait. Presque personne ne venait plus jamais la voir. Elle avait des nuées de petits-enfants, mais elle les voyait si peu souvent que sa mémoire, faiblissant malgré tout, ne les distinguait plus guère les uns des autres.

Parfois une auto pleine de « jeunesses » ralentissait à la porte, stoppait peut-être un instant ; une volée de jeunes filles agitaient la main en criant :

— Allô, mémère ! Tu vas bien ?

Grand-mère n'avait que le temps d'accourir sur son seuil, la troupe de jeunes filles dans un tourbillon de fine poussière déjà disparaissait.

— Qui est-ce qui est venu ? me demandait-elle. Les filles de Cléophas ? Ou celles de Nicolas ? Si j'avais eu mes lunettes, je les aurais reconnues.

Je la renseignais :

— C'était Berthe, Alice, Graziella et Anne-Marie.

— Ah ! disait-elle, cherchant dans sa tête si ces filles-là étaient de Nicolas, de Cléophas ou d'Albéric.

Puis elle se mettait à se disputer elle-même :

— Mais non, à quoi est-ce que je pense ! Nicolas a surtout des garçons.

Elle allait s'asseoir un moment dans sa berceuse près de la fenêtre pour tirer la chose au clair et établir un recensement complet de sa descendance. C'est ainsi que j'aimais le mieux la voir occupée, avec tout l'air d'en être à démêler des laines embrouillées.

— Chez Cléophas, commençait-elle, il y a Gertrude d'abord ; ensuite vient l'aîné des fils — comment s'appelle-t-il donc, ce grand brun là ? Est-ce Rémi ?

— Bien non, voyons donc, l'aidais-je, en perdant un peu patience. Rémi, il appartient à mon oncle Nicolas.

— Ah, tu m'en diras tant ! faisait-elle d'un air vexé.

Peu à peu je comprenais qu'elle craignait moins de me laisser voir ses infirmités : une vue affaiblie, l'ouïe défectueuse et, ce qui l'irritait encore plus, la défaillance de sa mémoire.

Le jour suivant s'abattait dans la maison « mais pour cinq minutes seulement » un autre groupe de « jeunesses » venu cette fois en boghey.

Grand-mère se dépêchait de mettre la table, pensant peut-être ainsi retenir la bande, mais je t'en fiche ! pendant qu'elle descendait à la cave chercher un pot de cornichons, les filles endimanchées criaient : « On ne peut pas attendre ; on s'en va à Rathwell… Bye-bye, mémère ! »

Elle remontait, clignait un peu des yeux, me demandait :

— Elles sont parties ?

Dehors, on entendait un grand charivari de départ.

— Ah, cette jeunesse d'aujourd'hui ! s'écriait grand-mère.

Nous restions seules dans la petite maison à écouter se plaindre le vent de plaine, qui se tordait sans trêve, au soleil, en nouant et renouant de petits anneaux de poussière.

Grand-mère commençait alors de se parler seule, ne pensant peut-être pas que je l'écoutais. Un jour, à la fenêtre, je l'entendis soupirer.

— On est puni par où on a désiré, toujours. J'ai sans doute trop souhaité mes aises, un bon ordre établi et de n'avoir plus constamment des enfants dans mes jupes avec leurs jérémiades. Oui, j'ai souhaité une minute à moi. À présent, j'ai à moi un siècle !

Elle soupira de nouveau, et finit par s'en prendre à Dieu.

— Pourquoi aussi nous écoute-t-il quand on lui demande des choses qui plus tard ne feront plus notre affaire ? Il devrait avoir le bon sens de ne pas nous écouter !

Puis elle se souvenait que j'étais dans sa maison, m'appelait d'un petit geste de la main :

— Toi, au moins, je connais ton nom.

Puis elle me demandait :

— Comment c'est-y déjà que tu t'appelles ?

Je le lui disais, avec un peu d'humeur :

— Christine.

— Oui, c'est bien cela, je le savais : Christiane.

Et elle me demandait, perdue dans ses songes :

— Quel âge a-t-elle, cette petite-fille-là ?

Il y avait une heure où malgré tout je m'ennuyais. C'était au moment où le soleil, sur le point de disparaître, jette sur la plaine une grande clarté rouge, lointaine et étrange, qui semble encore la prolonger, et aussi la vider comme de toute présence humaine, la rendre peut-être aux songes sauvages du temps où elle vivait dans sa solitude complète. On aurait dit alors que la plaine ne voulait pas sur elle de gens, de maisons, de villages, que, d'un coup, elle eût cherché à se défaire de tout cela, à se retrouver comme autrefois, fière et solitaire.

Du reste, pas moyen chez grand-mère d'éviter ce spectacle déroutant. Le village était petit, et la maison de grand-mère se tenait tout au bout ; comme la mer, de tous côtés la plaine nous cernait, sauf à l'est où l'on apercevait quelques autres petites maisons de planches qui nous tenaient lieu de compagnes dans ce qui m'apparaissait un voyage effarant. Car, dans cette immobilité de la plaine, on peut avoir l'impression d'être entraîné en une sorte de traversée d'un infini pays monotone, toujours pareil à lui-même.

Tout à coup, un jour, ne comprenant rien à ma peine, ne sachant surtout pas d'où elle me venait, je me mis à pousser de grandes plaintes :

— Oh, que je m'ennuie, que je m'ennuie, que je m'ennuie !

— Veux-tu te taire, fit grand-mère, énervée. On dirait un coyote qui hurle.

Je tâchai de me taire, mais bientôt ma peine étrange, sans nom, sans cause que je pouvais définir, me reprit et je hurlai de plus belle :

— Que je m'ennuie, que je m'ennuie !

— Ah, les pauvres innocents ! dit grand-mère.

Les jeunes enfants affligés, elle les appelait ainsi, surtout lorsqu'ils étaient dans l'excès de leur incompréhensible chagrin. Faisait-elle allusion au massacre des saints Innocents — je ne sais — mais chaque fois qu'elle vit pleurer profondément un enfant, chaque fois elle ne s'y trompa pas et s'écria, indignée : « Ah, les pauvres innocents ! »

Ne sachant plus que tenter pour me distraire, me consoler, m'ayant vainement offert à manger tout ce qu'elle pouvait avoir de bon à la maison, elle finit par dire :

— Si tu cesses de lyrer, je vais te faire une « catin ».

Du coup mes pleurs cessèrent.

Sceptique, je regardai ma grand-mère assise en sa haute chaise berceuse.

— Une « catin », dis-je, ça se trouve dans les magasins, ça ne se fait pas.

— Ah, tu penses ! dit-elle, puis elle s'en prit comme toujours aux magasins, à la dépense, à cette mode d'aujourd'hui d'acheter tout fait.

Ayant épanché sa bile, il lui vint dans les yeux une petite lueur que je n'y avais jamais vue, tout à fait extraordinaire, comme une belle petite clarté s'allumant en un endroit qu'on avait pu croire désaffecté, désert et reculé. Ce qu'elle allait accomplir ce jour-là commença pourtant le plus simplement du monde.

— Va, dit-elle, me chercher au grenier mon grand sac de retailles. Ne te trompe pas. Prends celui qui est lié dans le haut par une cordelette. Apporte-le-moi, et tu vas voir si je ne suis pas capable de faire ce que j'ai envie de faire.

Incrédule encore, mais curieuse aussi et peut-être secrètement désireuse de prendre grand-mère en défaut, je m'en fus quérir le grand sac de retailles.

Grand-mère y puisa des bouts d'étoffes multicolores, mais très propres — toutes les guenilles de grand-mère avant d'être serrées étaient soigneusement lavées et ne sentaient pas mauvais : des morceaux d'indienne, de guingan, de basin ; je reconnaissais, comme en ses couvre-pieds, des restants d'une robe d'une de mes sœurs, d'un corsage de maman, d'une de mes robes et d'un tablier dont je ne me rappelais plus à qui il appartenait. C'était plaisant de pouvoir rattacher tant de souvenirs à ces retailles. Grand-mère finit par trouver un morceau de blanc. Elle le coupa en diverses pièces, dont elle fit des espèces de petits sacs d'allure différente, un pour le tronc, d'autres pour les bras et les jambes.

— Il va me falloir maintenant de la paille, du sel ou de l'avoine pour combler tout ça. C'est selon ce que tu aimerais le mieux. Que veux-tu, me demanda-t-elle, une « catin » molle, de paille, ou ?…

— Oh, d'avoine ! ai-je dit.

— Elle va être pesante, m'avertit grand-maman.

— Ça ne fait rien.

— Eh bien, en ce cas, va dans la grange. J'y ai conservé un sac plein d'avoine du temps où je pensais garder quelques poules. Apporte-m'en un petit plat plein.

Quand je revins, tous les membres de la « catin » étaient prêts à être remplis de l'avoine que mémère avait gardée dans le cas où elle aurait des poules. Comment ces conjonctures bizarres accouraient toutes aujourd'hui pour servir mon bonheur ne m'échappait pas tout à fait. Bientôt ma grand-mère eut cousu ensemble les membres pleins d'avoine, et j'eus sous les yeux une petite forme humaine assez bien faite, avec des pieds, des mains et une petite tête un peu plate au sommet.

Je commençai à prendre un vif intérêt à la fabrication.

— Oui, mais tu vas être bien attrapée, fis-je, pour les cheveux !

— Les cheveux ! Penses-tu ! fit grand-mère qui s'animait à retrouver intactes du moins les infinies ressources ingénieuses de son imagination. Ah, c'était bien là notre don de famille, nul doute !

— Retourne au grenier, fit-elle ; ouvre le tiroir à droite de la vieille commode que j'ai fait monter là-haut. Ne fouille pas. Prends un écheveau de laine... À propos, veux-tu une « catin » blonde à la mode d'aujourd'hui ? ou une brune ? ou bien une vieille à cheveux blancs comme moi ?

J'hésitai cruellement. Je penchais fortement pour une vieille « catin » à lunettes et à cheveux blancs, pensant combien cela serait original. Mais j'avais bien envie aussi d'une « catin » jeune.

— Peux-tu m'en faire une aux cheveux blonds frisés ?

— Rien de plus facile, dit grand-mère. Apporte la laine qui te plaira et, en revenant, prends dans ma chambre mon fer à friser. Apporte du même coup la lampe à pétrole. Ou plutôt, pour ne rien casser, apporte tout cela en deux voyages.

Ainsi fut fait. Grand-mère, après avoir confectionné une belle perruque de cheveux jaunes, la frisa en ondulations à son fer chauffé au-dessus de la lampe et ensuite en couvrit la tête de ma « catin ».

Je ne pouvais plus cacher mon émerveillement.

— Tu sais donc tout faire ? demandai-je.

— Presque tout, dit-elle rêveusement. Les jeunes d'aujourd'hui ne connaissent pas le bonheur et la fierté de se tirer d'affaire avec ce qu'on peut avoir sous la main. Ils jettent tout.

Elle poursuivit après un temps :

— Moi, jeune, je devais me passer d'acheter dans les magasins. J'ai appris, j'ai appris, dit-elle, regardant au loin dans sa vie… Mais maintenant, à ta « catin » il faut un visage. Monte sur la table, essaie de grimper et d'attraper sur la corniche ma plume et ma bouteille d'encre.

Ces choses apportées près d'elle, elle trempa sa plume et dessina sur la face encore muette de ma poupée l'arc des sourcils d'abord, ensuite les yeux puis la bouche et un petit nez droit, bien fait.

Je commençai à battre des mains, à trépigner d'une joie impossible à contenir. Sans doute était-ce le talent créateur de ma grand-mère qui me ravissait tant. Partout, en effet, où j'ai vu à l'œuvre ce don de Dieu, fût-ce chez la plus humble créature — et il se rencontre en d'étonnants endroits — toujours il m'a remplie des plus vives délices.

— Oui, mais il faudrait une bouche rouge, dis-je.

— C'est juste, fit grand-mère. Cette bouche bleue lui donne un air malade. Et cela, ça va être un peu plus difficile. Mais nous y arriverons…

J'observai qu'elle commençait à m'associer à son œuvre créatrice, et je fus encore plus fière de ses talents.

— Va donc voir, me dit-elle sous le coup de l'inspiration, s'il ne se trouve pas sur ma commode, dans ma chambre, un bâton de ce qu'ils appellent du rouge à lèvres — une horreur, de la vraie peinture pour les sauvages, mais pour une fois ça va nous être utile. Il me semble que Gertrude — non, Anne-Marie plutôt — en a oublié un ici la dernière fois qu'elle est allée dans ma chambre se pomponner.

Je trouvai effectivement, à l'endroit exact qu'elle m'avait indiqué, la peinture pour les sauvages.

Oh, la belle petite bouche rouge, un peu pincée comme en un vague sourire, que dessina alors grand-mère !

Frisée, une blonde aux yeux bleus, avec son sourire un peu moqueur, ma poupée me paraissait fort belle déjà, quoique encore toute nue.

— Pour l'habiller, dit grand-mère, j'ai de la belle dentelle de rideau dans la chambre d'amis, dans le tiroir du bas de la commode. Va la chercher et en même temps cherche dans le tiroir du haut. Je pense que j'ai là du ruban bleu.

Une demi-heure plus tard, ma poupée portait une jolie robe blanche ornée de volants et d'un ceinturon bleu ciel. Sur le devant de la robe, grand-mère était en train de coudre toute une rangée de minuscules petits boutons dorés.

— Mais elle est pieds nus, fis-je tout à coup avec consternation. Pour les chaussures, ça va être plus difficile, hein, mémère ?

Je devenais humble, très humble devant elle, devant la majesté de son cerveau, l'ingéniosité de ses mains, cette espèce de solitude hautaine et indéchiffrable de qui est occupé à créer.

— Les chaussures, dit-elle simplement, les veux-tu de cuir, de satin ou de peluche ?

— Oh, de cuir !

— Oui, c'est plus résistant. Eh bien, va donc chercher de vieux gants de cuir jaune qui appartenaient autrefois à ton oncle Nicolas. Tu les trouveras…

Cette fois encore, sur son indication, je mis sans peine la main sur les gants de cuir jaune.

— C'est du cuir de magasin, fit-elle, les examinant, les retournant sous ses yeux. Les magasins vendent surtout de la camelote, mal cousue, mal finie. Pour une fois, il en est sorti quelque chose de bon et de beau. Ton oncle Nicolas avait des goûts extravagants en sa jeunesse, me confia-t-elle. Mais il est vrai que c'est pour son mariage qu'il s'est acheté ces gants. Et tu vois comme tout sert plus d'une fois, fit-elle : hier au mariage, aujourd'hui à des souliers de « catin » ! Ils disent que je garde tout, que je m'encombre, que je suis une vieille démodée. N'empêche qu'un jour arrive où on peut tirer un bon usage de ce qu'on aurait pu jeter par la fenêtre.

Tout en causant, elle tailla puis confectionna les plus mignons petits souliers de poupée que j'aie jamais vus.

— Pendant que j'y suis, fit-elle, autant lui faire aussi des gants.

La nuit venait. Grand-mère me fit allumer la lampe et l'apporter tout près d'elle. Ni l'une ni l'autre ne songions au repas du soir. Le strict horaire de la journée auquel ma grand-mère tenait tant, pour une fois n'existait plus. Quand quelque chose de plus grand que l'horaire se présentait, elle pouvait donc l'ignorer. Elle continuait à travailler, ses lunettes aux yeux, heureuse je pense bien, la chère vieille femme, comme au temps où des tâches urgentes la réclamaient du matin au soir et ne lui laissaient pas de répit pour examiner les vastes profondeurs mystérieuses du destin. Ou plutôt, heureuse comme elle ne l'était pleinement, sans doute, que lorsque sa tâche dépassait les seules exigences du moment présent.

— Lui as-tu trouvé un nom ? me demanda-t-elle, en me regardant sous ses lunettes.

C'étaient d'anciennes lunettes cerclées de fer.

— Oui, Anastasie.

— Ah, fit-elle, et je sus que le nom lui plaisait. Il y en avait une, Anastasie, dans mon village du Québec, autrefois. C'est un nom qui frappe. Ce n'est pas comme ces petits noms courts d'aujourd'hui qu'on oublie tout aussitôt : Jean, Jeanne, Robert, Roberte… Autrefois, les gens avaient des noms dont on se souvenait : Phidime, Viateur, Zoé, Sosthène, Zacharie…

Tout ce temps, ma poupée avançait. Elle n'avait pour ainsi dire plus besoin de rien, mais, trop bien lancée, grand-mère ne pouvait sans doute plus s'arrêter. Dans du drap noir, elle tailla une pèlerine de voyage, puis — une chose appelant l'autre — avec de la colle et du carton se mit en frais de lui faire une petite valise à laquelle elle cousit une minuscule poignée que je glissai à la main d'Anastasie.

Ce n'était pas encore assez.

— Il lui faudrait un chapeau, proposa grand-mère. On ne part pas en voyage sans chapeau, même dans le dévergondé d'aujourd'hui.

Elle m'envoya chercher, derrière la porte du tambour, un vieux chapeau de paille. Elle le détricota, puis lentement, de ses doigts raidis par le rhumatisme — avec des doigts pareils, travailler dans du petit était bien plus difficile que de travailler dans du grand, me dit-elle — elle tricota un nouveau, et cette fois très petit, très gracieux chapeau.

— Comment! criai-je à plusieurs reprises, tu sais donc aussi faire des chapeaux!

— De la paille fine des marais, non loin de chez nous, autrefois, j'en ai fait de jolis… Du reste, me conta-t-elle, j'ai bien des fois habillé quelqu'un — ta mère, ton grand-père — de la tête aux pieds…

— De la tête aux pieds, mémère!

— De la tête aux pieds… et sans besoin d'aller au magasin pour quoi que ce soit, sinon peut-être pour des boutons. Et encore, des boutons, j'en ai fait dans de la corne de bœuf; avec une alène pour percer les trous, j'y arrivais.

— De la tête aux pieds! dis-je.

Elle me tendit ma poupée avec son chapeau de paille pendu au cou par une bride. J'étais si heureuse que je me mis à pleurer.

— Ah bien, s'il faut que ça recommence, que j'aie fait tout ça pour rien! bougonna grand-mère.

Mais moi, oubliant combien elle se plaisait peu aux épanchements et aux caresses, je grimpai sur ses genoux, je lui jetai mes bras autour du cou, je sanglotai d'un bonheur aigu, trop ample, presque incroyable. Il m'apparaissait qu'il n'y avait pas de limites à ce que savait faire et accomplir cette vieille femme au visage couvert de mille rides. Une impression de grandeur, de solitude infinie m'envahit. Je lui criai dans l'oreille :

— Tu es Dieu le Père. Tu es Dieu le Père. Toi aussi, tu sais faire tout de rien.

Elle me repoussa sans trop d'énervement ni d'impatience.

— Non, je suis loin d'être Dieu le Père, dit-elle. Penses-tu que je saurais faire un arbre, une fleur, une montagne ?

— Une fleur peut-être.

Elle sourit un peu : « J'en ai assez fait pousser en tout cas… »

Je voyais que malgré tout elle n'était pas offensée de ce que je l'avais comparée à Dieu le Père.

— Car, dit-elle, après un moment de réflexion, avec ce qu'il m'a donné de moyens et mis de bois dans les roues, j'ai quand même pas mal aidé sa création. J'ai peut-être fait tout ce que peut faire une créature humaine. J'ai deux fois construit le foyer, me dit-elle, ayant suivi ton trotteur de grand-père d'un point à l'autre du vaste pays. J'ai recommencé, au Manitoba, tout ce que j'avais fait là-bas, dans le Québec, et que je pensais fait pour de bon : une maison. C'est de l'ouvrage, me confia-t-elle. Oui, une maison, une famille, c'est tant d'ouvrage que si on le voyait une bonne fois en un tas, on se sentirait comme devant une haute montagne, on se dirait : mais c'est infranchissable !

Elle s'aperçut que je l'écoutais, Anastasie serrée sur mon cœur, pensa peut-être que tout cela me dépassait — et en effet j'étais dépassée mais quand même retenais quelque chose — et elle continua :

— C'est ça, la vie, si vous voulez le savoir — et je ne sus plus à qui elle parlait : une montagne de barda. Heureusement qu'on ne la voit pas dès le début, sans quoi on ne s'y aventurerait peut-être pas ; on rechignerait. Mais la montagne se dessine seulement au fur et à mesure qu'on monte. Et du reste, autant de barda on a fait dans sa vie, autant il en reste pour les autres, derrière soi. C'est de l'ouvrage jamais fini, la vie. Avec tout ça, quand on n'est plus bonne à aider, qu'on est reléguée dans un coin, au repos, sans savoir que faire de ses dix doigts, sais-tu ce qui arrive ? me demanda-t-elle et, sans attendre de réponse, elle me l'apprit : Eh bien, on s'ennuie à en mourir, on regrette peut-être le barda, peux-tu comprendre quelque chose à ça ?

— Non, dis-je.

Alors elle parut immensément étonnée de me découvrir tout attentive à ses pieds.

— Tu es fâchée, hein ? lui demandai-je.

— Mêle-toi de tes affaires, fit-elle.

Mais un instant plus tard, repartie dans ses songes, elle me dit à qui elle en voulait tant.

— Ton grand-père Élisée, qui m'a fait le coup de partir le premier, sans m'attendre, le bel aventurier, me laissant seule en exil sur ces terres de l'Ouest.

— C'est pas l'exil, dis-je, c'est chez nous, le Manitoba.

— Puis tous ceux de sa race, continua-t-elle, toi comme les autres, des indépendants, des indifférents, des voyageurs, chacun veut aller de son côté. Et Dieu aussi ! Parce que vraiment, dit-elle, il laisse faire trop de choses étranges qui nous tracassent, quoi qu'en disent les prêtres qui, eux, comme de bon sens, lui donnent raison.

Elle ronchonnait encore de la sorte que je dormais à demi, appuyée à ses genoux, ma « catin » dans les bras, et voyais ma grand-mère arriver en colère au Paradis. Dans mon rêve, Dieu le Père, à la grande barbe et à l'air courroucé, céda la place à grand-maman aux yeux fins, rusés et clairvoyants. C'était elle qui, assise dans les nuages, dès lors prenait soin du monde, édictait de sages et justes lois. Or le pauvre monde sur terre s'en trouvait bien.

Longtemps il me resta dans l'idée que ce ne pouvait être un homme sûrement qui eût fait le monde. Mais, peut-être, une vieille femme aux mains extrêmement habiles.

II

Quelque temps ayant passé, au sujet de ma grand-mère si puissante, maman commença pourtant à se faire sans cesse du mauvais sang.

— « Embardeuse » comme elle est, je ne vis plus, disait-elle, de la savoir seule dans sa petite maison solitaire. Elle pourrait, en tirant cette trappe qu'elle a pour aller dans sa cave, y tomber et y rester, une hanche disloquée, Dieu sait combien de temps, avant qu'on ne s'inquiète de ne pas la voir sortir.

Je m'étonnais de ces perpétuelles alarmes, moi à qui grand-mère, je suppose, avait paru indestructible.

Un jour c'était un pressentiment que maman avait eu, un autre jour un rêve dans lequel elle avait vu grand-mère l'appelant du fond d'un puits.

Enfin, un de ces matins, maman se leva décidée à aller ce jour même chercher sa mère pour l'emmener vivre désormais avec nous. Je m'en réjouissais déjà, songeant aux beaux travaux de couture que j'allais voir s'accomplir sous mes yeux, une fois grand-mère parmi nous.

Seulement maman revint bredouille.

— Imaginez un peu à quoi je l'ai trouvée occupée, nous demanda-t-elle dès son retour, avant même d'enlever son chapeau, mais assise déjà pour nous raconter sa déconvenue, en sorte que chez elle aussi elle avait l'air encore en visite. Quand j'y pense ! En ce temps de l'année où le sol est encore humide et froid, figurez-vous qu'elle était dans son champ — ce qu'elle appelle sa prairie — à bêcher.

Pour ma part, je ne trouvai pas cela si terrible. Tous les ans, à cette époque, c'est un fait qu'on avait vu grand-mère retourner la terre, et je supposais que c'était parce qu'elle aimait cela.

Eh oui, cette année encore, dit maman comme furieuse, elle a entrepris un grand jardin. « À la fin, maman, lui ai-je demandé, trouvez-vous que cela a du sens, une vieille femme seule, cultiver assez de légumes pour nourrir tout un canton ? »

À cela grand-mère aurait répondu, ce qui me parut dans son caractère : « Mes légumes, vous serez peut-être contents d'en avoir. » Puis quelque chose d'autre comme : « Ça me regarde... » que maman nous rapporta en prenant la voix même de grand-mère, pour ensuite reprendre la sienne propre et dire : « Il me semble que ça me regarde aussi... »

De cette manière on pouvait suivre assez bien tout ce qui s'était passé, maman ayant du talent pour rendre compte de discussions animées entre deux ou trois personnages.

« Cessez donc aussi de vous faire tant d'inquiétude pour moi », maman nous dit que sa mère lui avait dit, à quoi la mienne avait répondu à la sienne : « Ah, maintenant il ne faudrait pas se faire d'inquiétude ! »

J'aimais tellement alors pareils récits que je pense bien, dans mon intérêt pour celui-ci, n'avoir pas pris garde qu'au fond il était triste.

— Elle a vieilli, c'en est incroyable, dit maman. Je la regardais aller et venir, et je m'en suis aperçue tout à coup. C'est curieux : apparemment on ne saisit pas, de jour en jour, d'année en année, que nos parents vieillissent. Puis soudainement on se trouve devant l'irréparable.

Alors, parce que sa mère avait vieilli, maman elle-même prit un air vieux et se mit à pleurer.

Comme c'est étrange pourtant : maman, pour nous faire

voir sa mère vieille, eut besoin, sembla-t-il, de nous la faire voir d'abord jeune.

— Vous savez qu'elle fut considérée en son temps comme une très belle femme ?

Non, nous ne le savions pas !

— … aux yeux brillants avec d'abondants cheveux noir jais. Et quelle démarche ! Et sa mémoire donc ! Tout comme ses tiroirs, bien rangée, en ordre parfait, les dates, les noms, chaque événement à sa place. C'était un être remarquable, dit maman.

— Et maintenant ? demandai-je, pensant surtout aux tiroirs.

— Un exemple, dit maman : deux fois dans la même journée elle m'a demandé en quelle année j'étais née et quel âge je pouvais avoir.

Je ne trouvai pas cela si choquant, sans doute parce qu'à moi-même grand-mère souvent avait eu à me redemander : « Quel âge as-tu ? » Même mon nom au reste, ce qui, je l'avoue, m'avait un peu retourné. Non, ce qui me confondait le plus, c'était maman elle-même, son visage changeant, triste et doux quand elle parlait de grand-mère jeune, puis ensuite seulement triste et affaissé. Je ne comprenais presque plus rien à ce va-et-vient d'un être humain à travers le souvenir d'un autre être. Une grand-mère vieille et qui vieillirait peut-être encore un peu, cela je pouvais l'admettre, mais une grand-mère au pas alerte, aux yeux de feu et à l'épaisse chevelure noire, je ne le pouvais pas. Je suppose que je devais croire que grand-mère avait toujours été vieille.

Maman en venait, en son récit, à ce moment où elle avait dû quitter grand-mère, répugnant à la laisser seule, mais comment faire ! Aussi entêtée que jamais, sa mère ne se disait pas encore prête à laisser ses affaires, sa « maîtrise ». C'était comme si elle se croyait assurée de dix années de vie encore devant elle. À moins que ce ne fût le contraire et qu'elle eût voulu profiter à son gré de ce qu'il lui en restait.

— Et moi, nous demanda maman, puis-je être à deux endroits à la fois, ici où on a besoin de moi, là-bas, tout autant peut-être ?

— Non, avons-nous dit à maman pour la consoler, personne ne peut être à deux endroits à la fois.

Elle nous en remercia d'un sourire. Ce qui la « sciait » le plus, nous avoua-t-elle, c'était l'impression d'avoir pourtant été très proche d'une victoire sur mémère.

— Vous comprenez, j'étais sur le pas de la porte, j'enfilais mes gants. Le matin était gris et sans vie. Le paysage, tôt au printemps, est par là, vous le savez, presque aussi dénudé qu'à l'automne. On a peine à croire que la vie va y reprendre jamais. Je l'aurais juré, à ce moment-là, si j'avais trouvé le mot juste… La hache branlait dans le manche, je crois bien… Mais alors est passé dans le ciel un voilier d'oiseaux en migration, et votre grand-mère a redressé la tête. C'était bien ce que j'avais le plus contre moi, ce bougre de printemps, les petites graines confiées à la terre, sa sarriette, ses « saint-Joseph », disait-elle à la veille de lever. Malgré tout, elle ne me voyait pas partir sans crainte.

« Tu reviendras prochainement ? »

« Oui, maman, mais il ne faudra pas que vous vous entêtiez trop longtemps. Bientôt, ce sera à vous de venir. »

« On verra… on verra… » m'a-t-elle dit, en faisant de son mieux pour cacher ses vertiges, ses étourdissements. Du seuil, elle regardait devant elle la plaine nue dont elle s'est tant plainte toute sa vie, disant que c'était ennuyant à en mourir, que jamais elle ne s'y ferait, que jamais ce ne serait son pays… et je me demande pourtant si ce qui la retient si fortement là-bas aujourd'hui, ce n'est pas justement la plaine, sa vieille ennemie, ce qu'elle a cru être son ennemie…

III

Pour moi il me sembla que ce fut dès le lendemain le bel automne. Il ne m'attristait pas en ce temps-là. Les jours étaient courts, sombres souvent, mais nous entretenions un bon feu dans la maison, nous mangions de la tarte à la citrouille, nous épluchions des noisettes, du blé d'Inde. Nous mettions aussi des tomates à mûrir au bord des fenêtres, et certains jours la maison entière s'imprégnait d'une odeur de marinades cuisant à feu doux en de larges bassines. On entendait la scie à bois chanter dans la cour ; son chant à deux tons, clair, puis grave quand elle mordait le bois, me semblait nous promettre joyeusement : « Je vous coupe de belles bûches, pour tout l'hiver de belles bûches. » Tout ce temps, la maison, comme un navire prêt à appareiller, comme une ville qui va être assiégée, s'emplissait de provisions : de la choucroute, du sirop d'érable du Québec, des pommes rouges de la Colombie-Britannique, des prunes de l'Ontario. Bientôt nous commencions à en recevoir aussi de nos oncles de la campagne : des oies grasses et des dindes ; des douzaines de poulets ; des jambons et du lard salé ; des caisses d'œufs frais et du beurre de ferme. Nous n'avions plus qu'à passer nous servir dans notre cuisine d'été transformée en magasin et où le gel conservait notre stock. Telles étaient les joies de l'automne reposant sur l'abondance et un sentiment de sécurité que peut-être déjà je reconnaissais. Pourtant maman, qui avait elle aussi grandement aimé l'automne, cette année, tout en se livrant aux occupations qu'il commande, semblait lui en vouloir. Elle amassait, eût-on dit, sans joie et même avec une sorte de tristesse, tout ce temps l'esprit auprès de sa mère : « Elle aussi, disait-elle, a dû rentrer ses concombres, ses courges. Elle aussi doit avoir conservé le plus possible. Mais à quoi bon ! À quoi lui servira tout ce travail, pauvre vieille ? » Et l'idée m'effleurait que ce devait être navrant, en effet, quand on a ses armoires bien garnies, sa dépense pleine à craquer, sa cave parfumée de gros choux, sur les tablettes des confitures aux groseilles, partout de quoi manger, de ne plus avoir à s'en servir.

Les jours raccourcirent encore et ce fut de plus en plus à mon goût. Comme tous les enfants du pays, j'espérais la neige, je rêvais que pendant mon sommeil elle descendait à flocons rapides me préparer ce beau monde si pur de blancheur que je croyais aimer le plus, quoique, lorsqu'il se dissolvait, le printemps venu, en mille petits ruisseaux agités, cela aussi je croyais l'aimer plus que tout.

Un matin, maman, qui avait aussi aimé l'hiver, comme au reste toutes les saisons, en regardant au dehors par la fenêtre un peu givrée, se prit à se plaindre :

— L'hiver déjà ! Que c'est triste !

Et elle partit ce jour même pour aller, comme elle disait, donner encore une autre secousse à l'arbre. Par là, elle voulait dire qu'elle allait s'appliquer de toutes ses forces à ébranler la volonté de grand-maman.

Deux jours plus tard, il fit un vrai mauvais temps, ou plutôt, devrais-je dire : un beau mauvais temps, car pour moi c'était délice de voir la neige s'enfler, se soulever, pour errer haut dans le ciel en formes sans cesse changeantes et peut-être à moitié vivantes, puisque je croyais les entendre crier du bonheur d'être enfin délivrées par la tempête. Or, comme j'étais à la fenêtre, fascinée par cette danse de la neige, je vis descendre du tram, au bout de la rue, une assez vieille personne en aidant une autre beaucoup plus vieille, toutes deux habillées de sombre, et la moins vieille portant une valise et un ancien parapluie. Jamais je ne pourrai oublier combien ma mère et la sienne, en arrivant ce soir-là, firent figures de noir contre le paysage tout blanc.

À peine après avoir aidé sa mère à se débarrasser de sa « capeline » et de sa « pèlerine » — grand-mère continuant jusqu'au bout à avoir un vocabulaire différent du nôtre — maman la conduisit à une grande vieille chaise qu'elle avait capitonnée, nous interdisant de nous y asseoir même avant l'arrivée chez nous de mémère, disant :

— Ça va être sa chaise : laissez-lui au moins sa chaise.

Grand-mère n'en parut pourtant pas si contente.

— Pensez-vous, dit-elle, que j'ai envie de passer ma vie assise maintenant ?

— Mais non, dit maman. Vous irez, vous viendrez, vous ferez comme chez vous.

— Chez moi ! reprit grand-mère, jetant autour d'elle un regard décontenancé. Ne t'imagine pas que je vais m'éterniser ici.

Ce qui nous étonna le plus, à partir de ce jour, ce fut l'attitude de maman. Elle qui avait tenu tête jusque-là à sa mère, elle se mit à dire comme elle presque toujours.

— Vous resterez le temps que vous voudrez, maman.

Mais elle nous dit à nous que grand-mère en faisant sa valise, avec l'air de rien, y avait glissé, au fond, son « butin ».

Par son « butin », grand-mère entendait son linge le plus fin de lit et de corps auquel elle avait travaillé une partie de sa vie et qu'elle ménageait pour un temps qui « allait venir ». De quel temps pouvait-il donc s'agir ? Et pourquoi grand-mère remettait-elle à si tard de se servir enfin de son beau « butin » ? Mais, il est vrai, les vieilles de ce temps-là ne faisaient rien comme on fait aujourd'hui.

Quant à moi, l'hiver me passionnait tellement alors, j'avais tant à faire : construire des forts, dresser des collines de neige, les descendre en traîneau et même presque jusqu'à la nuit, puisque j'avais pour m'éclairer une lanterne fixée à l'avant du traîneau, faite d'une vieille boîte de conserve, laquelle abritait la flamme d'une bougie et en laissait passer la lueur par une fente, oh j'avais tant à faire que je ne m'aperçus guère de ce que devenait grand-mère de jour en jour. Je rentrais, les joues rougies par le froid, les yeux brillants, tout excitée par mes jeux, et je voyais, tassée dans le fond de la cuisine, une vieille personne dont les yeux suivaient toutes nos allées et venues avec une expression étrange. L'idée persistait en moi que ce n'était pas ma vraie grand-mère que maman avait ramenée ce soir de neige. Elle avait dû se tromper, ramener quelqu'un d'autre. Car ma vraie grand-mère n'aurait jamais pu rester inactive. Elle avait toujours dit que cela la tuerait de rester à ne rien faire.

Mais un jour elle se fâcha et demanda de l'ouvrage.

— De l'ouvrage, dit maman. N'en avez-vous pas assez fait dans votre vie ?

Mais elle lui donna quand même quelques serviettes à ourler.

Et la vieille, vieille femme qui était chez nous dans son coin se prit à examiner le tissu, à en étudier la résistance en l'étirant de tous côtés, pour déclarer qu'il était loin de valoir ce qu'elle avait tissé dans son temps.

À tout instant d'ailleurs elle palpait maintenant les étoffes, celle dont étaient faits nos vêtements, le tissu des rideaux et le linge de la maison. Elle s'en moquait, disait que ce n'était que de la « pénille ». À l'entendre, tout, chez nous, était de la « pénille » bon marché de magasin. Quelquefois, à certains mots, je dressais l'oreille, croyant reconnaître pour un moment la voix de grand-mère.

Mais aussitôt après, ce n'était plus qu'un bredouillement et j'en revenais à mon idée de substitution de personnalité.

Les serviettes n'avançaient guère, et la vieille personne chez nous se mit en tête de tricoter plutôt de grands bas noirs comme presque personne pourtant n'en portait déjà plus. Parvenue au talon, tout se brouilla et elle s'en prit à la laine d'aujourd'hui qui ne filait pas bien. En cachette, maman détricota en partie le bas pour le refaire jusqu'où s'était arrêtée sa mère. Celle-ci s'en aperçut tout de même et se plaignit que des lutins avaient dû pendant la nuit lui emmêler ses laines. Je n'en revenais pas, ayant moi-même cessé depuis longtemps de croire aux lutins. Maman expliqua que c'étaient des croyances du temps de l'enfance de grand-mère et que pareilles croyances avaient tendance à renaître dans l'extrême vieillesse.

Voilà sans doute ce qui achevait de m'embrouiller moi-même : qu'on en fût, à propos de grand-mère, à parler à la fois de vieillesse et de deuxième enfance. Je n'étais donc encore qu'à moitié persuadée que ce fût vraiment elle qui habitât chez nous. Pourtant je me mis à l'étudier de plus près. Alors il ne lui restait guère plus que la parole, si on pouvait appeler ça une parole. Maman prétendait pourtant que nous ne faisions pas assez d'efforts pour écouter grand-mère, que plus tard nous pourrions regretter de n'avoir pas mieux recueilli les dernières confidences d'une vie, qu'il s'agissait là d'une sorte de trésor inestimable offert peu de fois au cours de l'existence.

Un jour qu'elles se croyaient seules toutes deux, je les écoutai donc se communiquer cette espèce de trésor, et tout ce que j'entendis c'est ceci :

Maman : Quand on arrive à votre âge, maman, comment donc apparaît la vie ?

Grand-mère : Un rêve, ma fille, pas beaucoup plus qu'un rêve.

Un autre jour, maman, ayant laissé son travail en plan pour aller s'asseoir auprès de grand-mère et l'écouter au plus près en suivant le mouvement de ses lèvres, nous jeta un regard à la fois attristé et triomphant.

— Savez-vous ce qu'elle vient de me dire ? (Car c'était à présent comme si grand-mère eût besoin d'elle à nous d'un interprète, et nul ne fut meilleur en ce rôle que maman.) Elle m'a dit : « Te souviens-tu, Éveline, de la petite rivière Assomption ? »

La rivière Assomption ! Qu'était-ce que cette rivière dont j'entendais parler pour la première fois de ma vie ?

— Une petite rivière dans les collines où elle est née, expliqua maman. Je ne savais pas qu'elle y avait tant pensé. Mais tâchez de comprendre à la fin : la rivière Assomption, c'est un peu la jeunesse de votre grand-mère, au loin, dans le Québec.

Que comprendre ? La rivière Assomption, passe encore ! Je parvins à me la représenter quelque peu, une jolie rivière capricieuse, disait-on, qui coulait vite par moments, puis, tout d'un coup, prenait son temps pour flâner dans les anses. Mais ces autres choses : le franc-parler, le courage, une vue perçante, ces choses autrefois à mémère, où donc étaient-elles et comment avait-elle pu les laisser perdre, si c'était, comme on disait, le meilleur ?

Je jouais avec moins d'entrain à présent. Souvent je rentrais dans la maison pour rien, seulement pour voir ce qui s'y passait et jeter un coup d'œil sur la vieille personne qui en « perdait » tout le temps.

On en était venu, je ne sais comment, à parler d'elle devant elle. Maman nous supplia de prendre garde.

— Elle nous entend peut-être encore. Son regard nous suit en tout cas, et peut-être nous juge-t-elle.

Un soir que maman l'aidait à se coucher, sa mère lui saisit la main, l'attira pour se plaindre à son oreille.

— Plus bonne à rien... à la charge... voudrais m'en aller...

— Vous en aller ! Mais oui, maman, un de ces jours prochains, on s'en ira. Tous on s'en ira.

Était-ce vraiment là ma grand-mère qu'un jour, en ma naïveté enfantine, j'avais cru être Dieu le Père, ou du moins une de ses meilleures aides, tous les jours de sa vie occupée à parer, sur terre, aux besoins humains ? De tout-puissant, je commençais à comprendre qu'il n'y avait que Lui, mais pourquoi, dès lors, avait-il besoin, comme le disait maman, de nous réduire parfois à l'impuissance totale ? Ma grand-mère travailleuse, elle gisait paralysée de la tête aux pieds, ses yeux seuls encore vivants. Du moins le prétendait maman qui affirma :

— Je suis sûre qu'elle a encore sa connaissance. Pauvre âme, tâchons de la rejoindre encore.

C'est elle seule qui en inventa pourtant le moyen. Elle se tenait près de ce bloc immobile sous les couvertures qu'elle continuait toujours à appeler « maman », et je ne sais quel désarroi j'éprouvais d'entendre ma mère, vieille elle-même à ce qu'il me paraissait alors, s'adresser avec ce mot d'enfant à quelqu'un qui ne pouvait même plus ni manger ni boire seul. J'en ressentais je ne sais quelle confusion à propos des âges, de l'enfance et de la vieillesse, dont il me semblait que jamais je ne m'en tirerais. C'était un peu comme si maman eût pris soin d'un bébé ; mais demande-t-on à un bébé, lui dit-on : « Votre conscience est tranquille, n'est-ce pas ? Tout votre devoir vous l'avez fait. Soyez sans crainte. »

Entre-temps, parfois, elle prenait conscience de moi qui étais toujours dans ses jambes, comme si sa tâche sans cela n'eût pas été déjà assez compliquée, et elle tentait de m'éloigner, mais avec douceur : « Va dehors, va jouer. » Et je voyais ses yeux s'emplir de commisération pour moi autant que pour tous peut-être, comme si maman avait maintenant pris en pitié tout le monde, et tout le monde alors dut me paraître avoir besoin de pitié.

Elle réussissait peu souvent à m'éloigner. Bien plus que par mes jeux habituels, j'étais attirée par cette autre sorte de jeu auquel ma mère semblait se livrer, assise auprès de sa mère à elle et l'interrogeant — un étrange jeu de questions auxquelles il n'était presque jamais fait de réponses : « Ne mangeriez-vous pas un peu ? Un bon bouillon de poule que j'ai fait exprès ? »

Parfois les yeux se fermaient. Moi, je croyais que c'était de lassitude à toutes ces questions. Mais d'après maman cela signifiait : oui, et elle se hâtait, contente de pouvoir encore quelque chose pour quelqu'un, comme elle disait, qui en avait tant fait pour elle.

Le plus souvent cependant les yeux restaient fixes. Et tellement loin de nous ! Maman s'en désolait.

— Pourtant il doit y avoir quelque chose qu'elle désire. Mais quoi ?

Qu'elle désire ?... me disais-je à mon tour. Quel peut être le désir de quelqu'un qui n'a plus à perdre que ses yeux ? Voir sans doute quelque chose. Mais quoi ?

Un jour que je passais devant la chambre de grand-mère toute seule un instant, j'entrai timidement. Et d'abord je me tins loin du lit, regardant ailleurs, par exemple les beaux rideaux de dentelle que maman venait tout juste de sortir enfin de ses tiroirs. C'étaient des femmes économes, elle et grand-mère : elles remettaient à bien tard, me semblait-il, de se servir de leurs plus riches choses. Enfin je risquai un coup d'œil du côté du lit de grand-mère. Je rencontrai ses yeux. Ils étaient d'un brun vivant, beaux encore, et ils semblaient m'appeler à venir plus près d'elle. Je pense que c'est à ce moment que j'ai fini par comprendre que ce devait être là ma vraie grand-mère après tout. Je m'approchai. Je chuchotai, comme si je n'étais pas encore tout à fait sûre, ou parce que j'avais un peu peur peut-être, je chuchotai : mémère.

Puis je songeai à demander comme le faisait maman : « Avez-vous faim ? Avez-vous soif ? » Mais il me parut bientôt que mémère ne devait plus avoir de goût pour cela et que ses désirs, si elle en avait encore, devaient être pour tout autre chose.

Est-ce parce que maman, au temps où sa mère lui résistait, avait tant parlé d'aller ébranler l'arbre, mais grand-mère à cette heure me fit vraiment penser à un pauvre vieux chêne isolé des autres, seul sur une petite côte. Peut-être est-ce de ce temps que m'est restée cette autre curieuse idée que les arbres aussi en un sens sont à plaindre, enfermés en leur dure écorce, les pieds pris dans la terre, incapables, le voudraient-ils, de s'en aller. Mais aussi, qui peut s'en aller comme il le veut ! Je rêvais, à mon tour assise près de grand-mère, je rêvais aux arbres, je pense. Puis j'entrevis un spectacle singulier : je croyais voir, en bas, de jeunes arbres nés peut-être du vieil arbre sur le coteau, mais qui eux, avec toutes leurs feuilles, chantaient dans la vallée. C'est cette image, je crois, qui me suscita la plus brillante des idées. Je courus au salon chercher l'album de photographies. C'était un gros livre recouvert de velours vert, à fermoir doré. Je remontai, le livre serré sur ma poitrine. Je me rassis près du lit. Je tournai des pages.

Presque à chacune je tombais sur quelqu'un qui était, comme on disait, de la descendance de mémère. J'allais lui mettre le livre sous les yeux. Je disais :

— T'en as du monde à toi, hein, mémère. Regarde !

Puis, me souvenant que deux ans plus tôt, quand j'étais chez elle, déjà elle avait peine à se retrouver parmi ses petits-enfants, je me pris à énumérer leur nom, accolant chacun, quand je le pouvais, à un visage de l'album. De cette manière, me semblait-il, grand-mère allait bien retenir tous ceux qui lui appartenaient.

C'était un beau passe-temps, et je m'y livrai avec ardeur. J'espérais n'oublier personne, et surtout arriver à cent, chiffre que je respectais alors énormément. Mais y arriverais-je ? Peut-être, si je comptais les morts... Mais en avait-on le droit, dans une liste comme j'en faisais ? Il me semblait que non. Je ne savais pas ce qu'était la mort. Il ne s'agissait à mes yeux que d'une disparition, ou d'une absence. Un jour les gens étaient là... un autre jour ils n'y étaient plus... Du reste, parmi les morts de l'album, il y en avait que je n'avais même pas connus. Était-ce donc la peine de les mentionner? Pourtant, plus j'aurais de noms à offrir à mémère, et plus, me semblait-il, elle se sentirait entourée. Et voici qu'en tournant les pages, je la trouvai, elle, jeune encore, assise auprès de son mari et parmi ses enfants, les uns debout derrière elle, les plus jeunes par terre, à ses pieds. Cette vieille photo me fascina si complètement que j'en oubliai le reste. À travers elle enfin, je pense que je commençai à comprendre très vaguement un peu de la vie, tous ces êtres successifs qu'elle fait de nous au fur et à mesure que nous avançons en âge. Je levai les yeux de l'album et comparai avec l'original. Il n'y avait pas beaucoup de ressemblance. Je vins, le livre ouvert à cette page, montrer à grand-mère son portrait auquel elle ne ressemblait plus. Je lui dis :

— Vous étiez belle dans ce temps-là.

Est-ce que ses yeux n'ont pas brillé un peu? Il me semble… Mais alors j'aperçus maman sur le seuil de la chambre. Elle était montée sans bruit et devait se tenir immobile depuis un moment à me regarder et à m'écouter. Elle me fit un petit sourire triste et très doux.

Mais pourquoi avait-elle l'air si contente de moi? Je n'avais pourtant fait que jouer, comme elle-même me l'avait enseigné, comme mémère aussi un jour avait joué avec moi… comme nous jouons tous peut-être, les uns avec les autres, à travers la vie, à tâcher de nous rencontrer…

Le vieillard et l’enfant

I

Longtemps je fus malheureuse de la mort de grand-mère. Puis vint un été étrange. Comme pour être consolée, je fis la connaissance d'un doux et merveilleux vieillard.

Il habitait non loin de chez nous une petite rue légèrement en pente où j'allais volontiers avec mes patins à roulettes ou mon cerceau ; là tout allait plus vite qu'ailleurs, mes patins, mon cerceau, moi-même, le vent à mes oreilles. Cela me distrayait.

Personne que moi n'avait pourtant découvert que cette petite rue descendait, coulait quelque peu ; même quand je l'affirmais, on en doutait encore.

Mais le jour où je rencontrai le vieillard, je n'allais pas très vite. Au contraire, je venais péniblement, montée sur des échasses. D'où venait chez les enfants de par chez nous, en ce temps-là, le goût de se haut percher ? (Notre pays était plat comme la main, sec et sans obstacles.) Était-ce pour voir loin dans la plaine unie ?... Ou plus loin encore, dans une sorte d'avenir ?...

J'avançais donc difficilement le long de cette petite rue chaude, silencieuse, toute dormante, où l'on aurait pu penser que ne demeurait plus de vivant que ce vieil homme tout le temps assis sur une chaise droite au milieu d'une maigre pelouse, dans l'ombre d'un petit érable — au reste le seul arbre planté dans cette rue, en sorte que lui aussi on le connaissait mieux que tout arbre dans notre ville.

Le vieillard m'aperçut de loin, bien visible sur mes échasses, et dès lors sembla prendre vie pour suivre ma marche, m'assister de ses bons petits yeux bleu clair, me soutenir à chaque pas, se montrer inquiet à mon sujet.

Je m'approchais.

C'est alors, comme il arrive souvent dans la vie, lorsqu'on veut trop bien faire et mériter aux yeux d'un spectateur attentif et bienveillant, c'est alors que je manquai un pas et vins m'aplatir sur le trottoir.

Oh, le grand bouleversement que je vis sur le visage du vieillard ! Il accourait. Il m'aida à me relever, à secouer la poussière de ma robe ; il examina la blessure que je m'étais faite au genou, montra de la sollicitude, mais pas trop. C'était le courage qu'il prisait. Aussitôt après avoir constaté que le mal n'était pas grand, il me loua de mes efforts.

— Monter des échasses, ce n'est pas tout le monde qui s'y essaierait. Il faut de l'agilité, du cran. Il faut être jeune aussi.

— Vous, lui demandai-je, quand vous étiez petit — et cela me parut vieux de mille ans — est-ce que vous avez essayé ?

— Non, me dit-il, mais j'ai prétendu boiter et avoir besoin de béquilles.

Cela me fit voir en lui un camarade d'élection. J'avais moi-même certains jours parcouru une bonne distance en boitant exprès. Dès lors, nous pouvions parler d'à peu près tout sur un ton qui sans doute ne nous éloignerait jamais l'un de l'autre.

— Fait chaud, lui ai-je dit, essuyant la sueur de mon front.

— Bien chaud, répliqua-t-il, surtout pour qui voyage.

Ainsi il savait déjà que j'étais en voyage, au loin, en pays étranger.

— Au revoir, lui dis-je, j'ai à rattraper les autres.

Il tira sa montre, la consulta, fit un petit bruit sec de la langue contre son palais, cependant que ses traits exprimaient un étonnement alarmé.

— Mais c'est vrai, il est tard, vous avez tout juste le temps, tout juste le temps...

Le lendemain, tôt levée, je courus en toute hâte dans cette petite rue. Dès que j'eus tourné le coin, j'aperçus le vieillard déjà assis dans l'ombre de l'érable. Je me campai à la barrière.

— On est matinal, lui dis-je.

— Oui, matinal. Il le faut, quand on est vieux, quand on est jeune. Ce sont les gens entre deux âges qui restent le plus longtemps au lit. Nous autres, les très jeunes, les très vieux, on n'en a pas le temps, hein ?

— Pas le temps.

— Tu es à pied aujourd'hui ?

— Oui, à pied, parce que je vais loin.

Il ne sembla pas le moins du monde étonné par cette logique.

— Qui es-tu aujourd'hui ? me demanda-t-il.

Ainsi il savait déjà que je n'étais pas souvent seulement moi. À l'instant où l'on me parlait, je pouvais être le Chinois blanchisseur passant pour le ramassage du linge sale ; ou le vieux colporteur italien, en quel cas cependant je me faisais habituellement reconnaître en lançant partout avec ce que je croyais être un accent d'Italie : banania, banania... Je pouvais aussi être une princesse. Mais aujourd'hui j'étais quelqu'un de si remarquable, un tel personnage, que je ne pouvais plus me retenir de le crier :

— La Vérendrye. Je suis La Vérendrye.

— Oh là là ! Oh là là ! C'est quelqu'un, ce monsieur La Vérendrye. Oh là là ! Le plus grand explorateur du Canada ! Et, si je ne m'abuse, voilà au moins cent ans qu'on ne l'a revu par ici.

— Cent ans au moins... et je dois aller découvrir toutes les terres à l'ouest jusqu'aux montagnes Rocheuses, dis-je. Si je ne suis pas tuée en route, avant ce soir j'aurai pris possession de l'Ouest pour le roi de France.

— Ah, voilà qui est une bonne idée, applaudit le vieillard,

d'aller la première, avant les Anglais, assembler ces terres sous notre drapeau. Bon voyage, bon voyage, me souhaita-t-il.

Je lui fis mes adieux.

Lui, alors, me demanda :

— Si vous avez du succès, si l'entreprise est bonne, repasserez-vous peut-être par ici ?

— Oui, monsieur, lui dis-je, je repasserai par ces lieux et vous remettrai un rapport. (Cette expression, je la tenais de mon père, l'aimant au point que tout me devenait sujet de rapport.)

— Car, voyez-vous, monsieur La Vérendrye, me dit le vieillard, pour ma part, j'ai passé l'âge des grands voyages épuisants. Je n'irai plus guère en personne contempler les paysages et les spectacles de ce monde. Mais, si vous venez me les décrire, ce sera comme si je les avais vus.

— Je viendrai.

— Sans faute ?

— Sans faute... et je me hâtai tant que je pus vers un petit bois de chênes par quoi, au bout de cette courte rue, commençait une sorte de campagne.

Là, dans ce petit bois de chênes, je cherchais des glands, je faisais mine de m'occuper à quelque chose ; en vérité, je n'y étais que pour laisser passer quelques minutes, donner du moins à mes explorations le temps de s'accomplir. Quant au récit que j'en ferais, je ne m'en tracassais pas le moindrement ; je me fiais à l'improvisation. Mais il m'arrivait, assise au milieu de ces petits arbres sombres, de m'ennuyer tout à coup, de ne plus savoir ce que j'étais venue y chercher et pourquoi. C'est un fait que souvent cet été-là je fus visitée à travers mes jeux par le souvenir de ma grand-mère, telle que je l'avais vue, couchée en son cercueil, le visage dur comme pierre et entourée de gens qui priaient avec une voix dont l'accent m'avait déchiré le cœur. Je ne sais quel doute fugitif, rapide, traversait alors mon esprit, qui n'éclairait rien, n'exposait rien, et qui cependant me laissait chaque fois plus inquiète. Sans doute n'avais-je pas encore clairement compris que tous nous finirons ainsi, que ce sera là notre dernière image de nos êtres les plus aimés, mais je pressentais plus près d'elle que j'en étais moi-même les vieux visages ridés. Était-ce donc cela, cette espèce de prescience que j'avais de leur disparition proche, qui me les rendait si chers ? Mais alors, eux, les vieillards, pourquoi auraient-ils été pareillement attirés vers moi ? Ne serait-ce pas qu'il est naturel aux petites mains à peine formées, aux vieilles mains amenuisées, de se joindre ?... Mais là encore, qui expliquera ce phénomène tout aussi plein lui-même de mystère que celui de la vie, que celui de la mort dans un cercueil.

Au bout de dix ou quinze minutes au plus, je revenais des Rocheuses. Je me retrouvais à la barrière.

— Je les ai vues, annonçais-je les yeux brillants, comme si au fond de notre horizon si monotone du Manitoba, terre planche s'il en est, j'eus tout à coup surpris leurs étonnantes masses rêveuses.

Le vieillard se redressait après avoir fait un petit somme. Ses yeux pétillaient vif comme un feu qui prend bien.

— Est-ce possible ! Vous êtes donc allée si loin ? Vous avez aperçu les Rocheuses ? Ah, racontez-moi cela.

Je lui racontais cela, les hautes montagnes qui dépassaient les poteaux de téléphone, les hordes de bisons entrevues en route, et aussi, comment, pendant des jours et des jours, j'avais pâti de faim et de soif.

— Cela ne m'étonne pas, répondait le vieillard. Vous être lancée dans une si périlleuse expédition ! Aviez-vous au moins pris les précautions nécessaires... et fait-il aussi chaud là-bas ?

— Pire encore, s'il y a quelque chose. À dix jours de marche, j'ai trouvé sur la plaine des tas d'ossements secs. Des bêtes, des gens sont morts. On suffoque, et partout la terre qui poudroie. (Cela me venait d'un de mes livres. « Que vois-tu, sœur Anne ? — Que la terre qui poudroie. »)

Et je demandai enfin : « Qu'est-ce que ça veut dire : la terre qui poudroie ? »... et le vieillard me l'expliqua.

II

Tous disaient alors que jamais, au grand jamais, on n'avait vu au Manitoba été plus chaud et désespérant. Pourtant, durant mes années d'enfance, il me semble avoir entendu dire de chaque été la même chose exactement. Pauvres gens, à peine sortis de l'hiver brutal, nous entrions dans une sorte de forge qui nous cuisait comme pour nous apprendre ce qu'il en coûte, par temps froid, d'oser s'en plaindre. Ah, vous geliez, vous étiez transis, disait l'été, eh bien, apprenez maintenant ce que c'est que d'avoir chaud.

Mon bon vieillard si sec, si maigre, peut-être moins que les personnes grasses, avait à en souffrir, mais il en souffrait, et sous son arbre tâchait de se faire un peu de vent avec son journal plié qu'il agitait devant son visage.

Pourtant, même pour n'aller que sous cet arbre — ou un peu plus loin, faire quelques pas dans la rue — il apparaissait soigné et propre, comme si toujours à présent il devait se tenir dans l'attente de quelque noble visite qui, m'avait-il dit, pouvait survenir d'un moment à l'autre. Qu'une visite pût enfin venir pour lui qui était toujours si seul en cette rue de silence, c'était déjà bien assez surprenant. Néanmoins, m'avait confié le vieillard, en dépit de ce qu'il l'attendait depuis longtemps et qu'il se tenait toujours prêt et propre pour elle, presque à coup sûr elle surgirait quand même à l'improviste.

Ainsi, sous son arbre ou ailleurs, ne l'ai-je jamais vu en débraillé, mais tout à fait boutonné, sa cravate nouée, en veston d'une sorte de toile noire, ses vieilles mains aux veines gonflées pinçant de temps à autre le pli de son pantalon. Dans sa barbe blanche on voyait la trace d'un peigne à dents écartées. Il devait aussi aimer se garder les oreilles propres ; je me rappelle de lui un petit geste fréquent : il y introduisait le bout de son petit doigt, il le secouait comme pour déloger de la cire. Ajoutez à cela qu'il portait du matin au soir un très élégant vieux chapeau de paille blanche à ruban noir qu'il m'avait dit avoir acheté « dans les îles ».

Un soir qu'il tombait quelque fraîcheur au dire de ma mère, on vit s'avancer dans notre rue le vieillard tel que je viens de le décrire, sauf qu'il avait sa canne à la main. Il marchait à pas lents, mais le corps bien droit, la tête relevée, comme si la rosée, qui faisait se redresser ce soir les fleurs de notre jardin, l'avait aussi un peu rajeuni.

— Mais c'est M. Saint-Hilaire, s'écria maman. Et elle demanda : Comment allez-vous, monsieur Saint-Hilaire ?

C'est alors seulement que je le sus un peu sourd ; avec un bon sourire, il répliqua :

— Oui, une petite brise qui rafraîchit...

— Et vos enfants ? s'enquit maman. Vont-ils bien ?

Cette fois le vieillard comprit.

— Oui, bien, dit-il.

Du moins allaient-ils bien aux dernières nouvelles qu'il en avait eues et qui n'étaient pas tout à fait récentes.

Moi, pendant cet échange de phrases, je faisais celle qui ne reconnaissait plus très bien mon vieil ami. Pourquoi ai-je agi ainsi ? Pourquoi ai-je fait cette peine peut-être au vieillard qui clignait des yeux, cherchait sans doute à me distinguer parmi les autres assis sur la galerie et n'était peut-être venu jusque devant chez nous que pour me retrouver ? Sans doute par une sorte de jalousie. Peut-être aussi pour garder tout son secret, tout son mystère à notre entente. Mais une chose est sûre : je détestais déjà ces gendres, ces brus, dont l'entretenait ma mère. Sans doute m'étais-je imaginé que le vieillard n'avait que moi au monde et que j'étais tout pour lui.

Quand il se fut un peu éloigné, maman poussa un soupir.

— Pauvre M. Saint-Hilaire, fit-elle, après avoir élevé une famille, le voilà quand même à peu près tout seul au monde.

J'appris ce soir-là qu'il ne pouvait demeurer chez sa fille, si tendrement choyée et aimée, à cause du mari de celle-ci avec qui il avait eu « des piques », ni non plus chez son fils parce qu'avec la femme de celui-ci il s'était brouillé. Pour toutes ces raisons il avait dû aller se mettre en pension chez des étrangers.

— Peut-être, dans les circonstances, est-ce la meilleure solution, reconnut maman, vu que le pauvre homme demeure si entier dans ses opinions et est, je le crains, de caractère tranché et autoritaire, peut-être pas très commode à vivre.

Je me tournai avec défi vers ma mère. Cet homme-là qu'elle décrivait, pensait-elle donc que je l'accepterais pour mon bon vieux M. Saint-Hilaire ?

Il était venu de France tout jeune, continua-t-elle, laissant entendre que d'être Français expliquait quelque peu ses idées bien à lui, son comportement peut-être difficile à supporter, encore que de cela pourtant il tirât son intérêt aux yeux de maman. Il s'était marié au Canada, dit-elle, y avait fondé son foyer et avait réalisé une assez jolie fortune à fabriquer du macaroni, des pâtes sous divers noms. Ses enfants élevés dans le luxe avaient dû à peu près tout lui manger. En Français prévoyant, il devait tout de même s'être assuré une petite rente pour ses vieux jours. Mais qu'il y avait loin, conclut-elle, du M. Saint-Hilaire d'autrefois, seigneur et maître chez lui, à ce petit vieux se promenant tout seul, à la « brunante », comme s'il cherchait quelqu'un… dans notre rue…

Ces dernières paroles me troublèrent. J'imaginai la visite,

que depuis si longtemps il attendait, profitant de ce seul petit instant où il s'était échappé pour venir enfin à sa porte... À cause de moi peut-être il l'aurait manquée... Mais tout le reste de ce que disait maman de M. Saint-Hilaire, je le repoussai comme chose invraisemblable. Il ne se pouvait pas qu'il fût un vieillard difficile et qu'il eût autrefois dans les « pâtes » réalisé une petite fortune « rondelette ». Aucun de ces mots ne me plaisait. Et d'abord comment une fortune pouvait-elle être ronde ?...

Bien entendu, avec le jour se réveilla, le lendemain, la pleine chaleur. Il fallait se lever très tôt, car au lit on ne « s'endurait » plus, tant le soleil déjà plombait. On ne pouvait cependant pas se coucher avant la nuit avancée, car la chaleur mettait du temps à se disperser. Ainsi dormions-nous trop peu, et étions-nous tous plus ou moins énervés.

Quel curieux pays que le nôtre, supposément froid ! Et certes, souvent, on ne pouvait se couvrir d'assez de laine et de fourrure. Aussi bien trouvions-nous plus dur que d'autres d'en être à présent à tirer la langue et à rechercher les plus petits recoins d'ombre.

Chaque matin, ma mère, dès qu'elle sortait sur la galerie, sans besoin de thermomètre pour appuyer ses pronostics, au seul souffle desséché de l'air, nous annonçait d'une voix découragée :

— Aujourd'hui nous aurons 98, peut-être 99.

Ce matin, elle en arriva au chiffre 100, que je trouvai tout de même plus satisfaisant que 99 seulement.

Elle me regarda d'un air soucieux.

— Ah, dit-elle, si seulement je pouvais t'envoyer à la campagne.

J'en rêvais, bien entendu. En fin de compte, au Manitoba, n'avons-nous pas toujours rêvé de quelque chose d'autre que ce que nous avions : l'hiver, si dur, au temps où scintillerait le soleil ;

et, celui-ci devenu implacable, à beaucoup de neige pour nous rafraîchir. Ainsi avons-nous vécu là-bas, comme au reste un peu tout le monde, j'imagine, sur la face de la terre, peu satisfaits du présent, mais en attente toujours de l'avenir, et au regret souvent du passé. Et béni soit le ciel qu'il y ait malgré tout, de chaque côté de nous, ces deux portes ouvertes.

Peut-être, au reste, la chaleur ne nous affligeait-elle pas autant que la sécheresse. Tout s'étiolait, tout mourait. Une seule petite averse aurait si bien secouru la vie et les jardins. Nous avions eu trop de pluie pourtant, quand il n'en aurait pas fallu, au temps de semer le blé ; et maintenant que l'eau aurait encore pu sauver ce qui était parvenu à pousser, il n'en venait pas et le ciel trop calme n'en laissait espérer aucune.

Je m'en allais toute dolente retrouver le vieillard. J'étais ces jours-là sans imagination pour les jeux. Mes pensées dans ma tête étaient comme les petites feuilles aux arbres de cet été immobile ; aucune ne frémissait, ne palpitait. Plus tard dans ma vie, assez souvent j'ai connu cette misère, et rien peut-être ne m'a été plus franchement intolérable ; même le chagrin m'a moins accablée que cette insensibilité, ne pourrait-on pas dire : cette indifférence à notre égard de notre propre pensée.

Au-dessus du vieillard le petit érable était rigide comme un parasol de jardin. Sans doute est-ce beau un arbre qui fait parasol, mais bien plus encore un arbre qui vit avec le soleil et avec les vents, et qui, sans trêve, comme s'il avait mille doigts, joue à écarter ses feuilles pour voir peut-être en bas. Je guettais si le feuillage n'allait pas s'entrouvrir sur une de ces belles petites trouées où paraît le bleu. Il ne le faisait pas. En dessous, dans cet air si calme, le vieillard était seul à respirer avec bruit.

Il posa sa main sur mon front, car j'étais assise à ses pieds sur l'herbe jaunie. C'était la première petite caresse qu'il osait.

— Comme tu as chaud, dit-il avec sollicitude.

Je voyais sur son visage, comme une vieille terre fendue et craquelée par la sécheresse, couler sur un seul sillon un petit filet de sueur ; un rien d'humidité pour toute cette vieille terre sèche.

— Vous aussi, lui dis-je avec compassion.

Il abaissa vers moi ses yeux à la fois si perspicaces et bienveillants. Il me demanda :

— Comment se fait-il que tu ne sois pas à la campagne ? Tu as un petit air abattu et maigrichon. Il te faudrait du bon lait et beaucoup d'air frais. N'as-tu personne à la campagne pour te recevoir ?

— Oh oui, dis-je, j'ai beaucoup de notre monde dans les campagnes.

— Eh bien, alors ?

— Eh bien, voilà ! dis-je, élevant les bras vers le ciel dans un curieux geste de découragement que j'avais pris à une de mes tantes, laquelle était presque toujours désolée de tout.

Le geste me vieillissait tellement que M. Saint-Hilaire en rit comme d'un des spectacles les plus saugrenus qu'il eût jamais pu voir.

— Eh bien, voilà quoi ?

— Eh bien, voilà : ma mère cet été n'a pas pu trouver l'argent.

— Elle trouve donc l'argent, ta mère ? m'interrompit le vieillard.

— Quelquefois, quand on en a trop besoin…

— Et elle trouve… en cherchant ?

— Oh non, dis-je, souriant un peu, car j'imaginais tout à coup maman, une lampe à la main, cherchant dans des coins sombres. Non, c'est pas qu'elle cherche, mais elle trouve l'argent des fois. Seulement pas cette fois. Et ça coûte assez cher, expliquai-je, pour m'envoyer par le train jusque dans la campagne où nous avons notre parenté. Nous sommes chanceux : nous avons plusieurs oncles fermiers. Maman pensait que l'un ou l'autre viendrait peut-être en ville, en auto, pour ses affaires, au début des vacances ; j'aurais pu profiter de l'occasion du retour. Cela ne nous aurait pas coûté un cent ; ç'aurait été tout avantage. Mais personne n'est venu. Et maintenant, il est trop tard ; ils vont tous être pris par leurs travaux de battage. Ils ne viendront plus à présent que pour leurs achats d'hiver. L'espoir, pour cet été du moins, est mort.

— Tut, tut, tut, il ne faut jamais dire que l'espoir est mort. Ça ne meurt pas, l'espoir.

— Non, dis-je, un peu plus joyeuse, ça ne meurt pas ?

— Pas à ma connaissance, en tout cas.

Et cela me parut certain puisque lui, qui devait si bien s'y connaître, me l'affirmait.

Il me questionna alors :

— La campagne de tes oncles, quelle sorte de campagne est-ce ?

— Oh, c'est beau !

— Tiens, si beau que ça !

C'était là un sujet que j'aimais bien ; il me valait presque toujours, comme la chaleur, un 98 ou un 99 dans mes petites compositions à l'école.

— La campagne de mes oncles, commençai-je sur un grand souffle, comme si j'allais parvenir loin, dire beaucoup de choses, et je m'aperçus, hélas, à ce moment, que je ne savais pas encore témoigner en faveur de ce que j'aimais... Mais je poursuivis quand même : c'est une campagne plus haute que par ici. Dans l'attitude, essayai-je d'expliquer.

— L'altitude, corrigea le vieillard.

— ... l'altitude, repris-je, et l'air est bon par là, il est vif. Quand j'arrive chez mes oncles, je mange le double de par ici, et je trouve tout bon.

Je réfléchis un moment, le menton dans mes mains. Je revoyais avec plaisir, enserrant la maison de mon oncle Cléophas, un gentil bois de jeunes trembles dont le murmure imprégnait toutes les journées d'été là-bas et qui me faisait m'écrier un peu tristement le matin en me levant : « Tiens, il pleut. » À quoi on riait de la petite citadine ne sachant pas encore démêler du bruit de la pluie celui assez pareil, au fond, des feuilles trop sensibles agitées au moindre souffle de l'air. On disait : « Mais non, il fait beau, au contraire ; ce n'est que le vent dans les trembles. » « — Mais il ne vente pas. » « — Si, un peu, dans les trembles... écoute... »

Je devais sourire en retrouvant cela, car le vieillard me pria de lui dire à quoi je pensais. J'allais le lui dire et parler de l'espiègle petit bois qui chaque été, et quoique j'eusse dû y être habituée, me jouait le même tour de me faire croire à la pluie. Mais subitement je changeai d'idée, éprise d'un autre souvenir, et l'entretins plutôt du blé.

Car, au sortir de ce bois de chez mon oncle, aussitôt on se trouvait au bord d'une immense plaine tout ouverte et presque tout entière en moissons. En sorte qu'on n'avait jamais su chez mon oncle ce qu'on aimait le mieux : le bois de trembles qui nous abritait, nous servait de cachette, nous faisait nous sentir chez nous ; ou le grand pays étalé qui appelait au voyage. Cependant, comme disait mon oncle, les deux avaient du charme, l'un nous reposant de l'autre.

— Sais-tu, dis-je, que mon oncle Cléophas a presque tout un mille carré en blé ?

— C'est beaucoup.

— C'est beaucoup, et quand le blé est grand et fort, on y joue à se cacher. Moi, presque jamais on me trouve.

— Je m'en doute, fit le vieillard qui prit un air un peu affligé ; car, me dit-il, à courir ainsi à pleins pieds dans le beau blé, est-ce qu'on ne l'abîme pas ?

— Un peu... et mon oncle le permet pas toujours... Mais ça ne fait rien.

Car le blé ayant atteint sa pleine hauteur, je n'avais plus à m'agiter pour être heureuse. À ces étendues aussi le moindre vent imprimait un doux mouvement oscillant. Alors il me suffisait de les regarder, si petite au bord de leur déferlement, et de les entendre bruire.

Je poussai un soupir.

— Cet été, je ne verrai rien de tout cela.

Le vieillard soupira également.

Peut-être avons-nous soupiré surtout d'étonnement à nous voir revenus tout d'un coup sur la pelouse pelée, en notre petit coin étriqué.

— D'après ce que tu me dis, ça doit être bien agréable en effet la campagne de tes oncles, m'accorda le vieillard. Pourtant est-ce que ça ne manque peut-être pas d'eau ? Y en a-t-il au moins quelque part ?

— De l'eau ?

Je cherchai dans mes souvenirs.

— Car, disait le vieillard, pendant la canicule, quand viennent les chaleurs intenses, voilà qui est bon au regard.

La canicule, pensai-je, enchantée de ce mot que j'apprenais. Avec mon vieillard, tous les jours j'apprenais quelque chose.

— Il y a le puits, dis-je.

— Oui, évidemment, le puits...

Je cherchai davantage.

— Il me semble, il me semble, un jour que nous étions partis dans la vieille Ford, tout le monde de chez mon oncle, pour aller du côté du Manitou cueillir des *saskatoons*, il me semble que cette fois j'ai peut-être vu un lac...

— Était-ce bien un lac ? questionna le vieillard. N'aurait-ce pas été plutôt une des *coulées*... comme on en voit par là ?...

— Peut-être seulement une *coulée*...

— Quelle pouvait être sa superficie ?

— Sa super... quoi ?

Puis je crus comprendre.

— Oh, c'était bien aussi grand que d'ici à l'autre côté de la rue.

— Ça ne doit être qu'une *coulée* alors. Tu n'as jamais vu le lac Winnipeg ? me demanda-t-il.

— Non, rien que dans ma Géographie. Vous, vous l'avez vu ?

— Quand j'étais jeune, dit le vieillard, presque tous les étés je faisais le voyage exprès pour aller le voir.

— Il doit y avoir longtemps de cela.

Le vieillard ferma les yeux.

— Il y a longtemps.

— Et le lac depuis n'a pas changé ?

Il sourit avec bonté.

— Un lac, ça ne change pas. Du moins durant le cours d'une vie humaine… et même de plusieurs générations.

— Ah, ça ne change pas plus que ça ! Ça doit être vieux aussi…

— Mais non, toujours jeune, au contraire.

— Ah !

— Le monde est jeune, m'apprit-il.

— Ah !

Je n'en revenais pas, moi qui avais toujours entendu et répété l'expression : vieux comme le monde.

— Et comment est-il, demandai-je, le lac Winnipeg ?

— Oh, c'est quelque chose ! murmura le vieillard. C'est vraiment quelque chose.

— C'est très grand ?

— C'est bougrement grand.

— Quand on est à un bout, est-ce qu'on aperçoit l'autre bout ?

— Non justement, dit le vieillard, on ne voit pas d'un bord à l'autre ; c'est trop vaste.

— Vaste… repris-je en écho, rêveuse… Et c'est rien que de l'eau ?

— Rien que de l'eau.

— Toujours de l'eau ?

— Toujours de l'eau.

— Et c'est beau, tant d'eau ?

— Je me demande si je n'ai jamais rien vu de meilleur.

— Et est-ce que cette eau parle, chante, dit quelque chose ?

— Oui, dit le vieillard, content de ma question. Cette eau, comme tu l'exprimes si gentiment, parle, chante et sans cesse dit quelque chose, encore qu'on n'y entende rien de clair comme lorsque les gens parlent, par exemple. Et même, il vaut mieux se taire si l'on veut entendre le lac...

— Sans cesse, sans cesse !

— Oui, sans cesse, je pense. C'est un peu comme tes immenses champs de blé, mon petit poulet. Les as-tu jamais surpris absolument silencieux ?

— Presque jamais.

— C'est la même chose pour l'eau. À la moindre caresse de l'air, elle s'agite, forme de petites vagues, et sous le soleil danse et clapote.

— On y serait bien en ce moment, ai-je dit.

— Oh oui, on y serait bien !

Puis nous sommes restés sans paroles, la gorge sèche, abrutis par la chaleur, à regarder dans nos têtes endolories se soulever et retomber de petites vagues d'eau claire.

III

Ma mère, sortie un instant sur la galerie, ce matin-là, rentra précipitamment.

— C'est atroce, dit-elle. On dépassera sans doute 100 degrés aujourd'hui. Ne sortez pas, personne. Sur le coup de midi, nous nous ferons des sandwiches que nous irons manger dans la cave.

Cette perspective, qui pouvait se produire deux ou trois fois par été, d'habitude m'enchantait. Mais ce jour-là je n'avais en tête que le lac Winnipeg et d'apprendre sur son compte le plus possible.

À force d'importuner ma mère, je finis par la convaincre que je serais mieux au dehors que dans la cave, et elle me laissa sortir après m'avoir déniché au grenier un vieux chapeau de paille de fermier qui s'enfonça sur mon visage, le cachant presque tout entier.

Ainsi protégée, je courus chez le vieillard. Lui et son petit arbre étaient comme dans une gravure. Rien, rien ne bougeait ni sur terre ni dans l'étendue du ciel. Le pauvre vieil homme me parut avoir même les yeux secs. La vieille terre fendillée de son visage n'offrait plus la moindre trace d'humidité ; sans doute n'en avait-elle plus une seule goutte à perdre.

— Assieds-toi et reste bien calme, me conseilla-t-il. Cette chaleur est assez forte pour tuer tout, sauf peut-être des idées de fraîcheur.

C'était justement ce dont j'avais envie d'entendre parler.

— Le lac Winnipeg, demandai-je, il a aussi une super… cifie ?

— Une superficie ? Oui, bien sûr. Dans son plus long, il doit atteindre plus de deux cents milles. Mais ne te fie pas à moi pour les chiffres et les statistiques. Tu sais, quand on vieillit, il en arrive de drôles. Par exemple, on va se souvenir sans fin d'une certaine robe rouge qu'on a vue à quelqu'un, un jour ; ou d'un pot de géraniums aperçu à une fenêtre en passant par une ville, on ne sait plus laquelle ; des détails pareils, tout à fait bizarres. Par ailleurs, il y a longtemps que les chiffres me sont sortis de la tête…

Je ris, parce que j'imaginai toute une rangée de chiffres sortis en vitesse de la tête de mon cher vieux pour se mettre à courir et à voltiger dans l'air. Puis je m'exclamai :

— Deux cents milles ! Pensons-y. C'est bien plus loin que pour aller chez mes oncles. On pourrait donc voyager toute une journée sur le lac, et on ne serait pas encore arrivé nulle part…

— En chaloupe, dit le vieillard, il est sûr qu'on n'aurait pas fait grand chemin. Et même dans un bateau à moteur…

Comme la veille, j'étais accroupie sur le sol, à ses pieds. Entre les brins d'herbe jaunie et rare, je cueillais des poignées de terre mise à nu, fine et poussiéreuse comme du sable, que je laissais couler entre mes doigts.

— En Saskatchewan, lui appris-je, il paraît que c'est encore pire qu'ici. Toute la terre, là-bas, est en poussière comme ceci — et je lui montrai celle que j'avais dans la main. Elle vole au vent. La Saskatchewan va devenir un désert, répétai-je du ton grave avec lequel je l'avais entendu dire.

— Un désert ! Peut-être.

J'avais tout de même soulevé mon rustique chapeau de paille, puisque j'étais à l'ombre. Le vieillard allongea la main, prit une mèche de mes cheveux qu'il examina comme si c'était là quelque chose d'assez rare.

— Je me demande... commença-t-il, puis apparemment changea d'idée, passa à un autre sujet, peut-être parent du premier, puisqu'il pouvait débuter de la même façon. Je me demande, dit-il, ce que ta mère pense de moi.

Je le lui dis du coup, sans nulle gêne ni embarras.

— Oh, elle pense que vous êtes un vieux monsieur très correct, mais avec des idées têtues.

Ce fut la première fois où je l'entendis rire tout à fait comme rient les grandes personnes, avec un peu de malice et toutes sortes de sous-entendus.

— Mais elle n'a pas du tout mauvais jugement, ta mère.

Le lendemain encore, il recommença son curieux début de phrase : je me demande... et n'alla pas encore plus loin.

C'est à la troisième tentative seulement qu'il alla jusqu'au bout :

— Je me demande si ta mère te confierait à moi pour toute une journée. Nous prendrions le train. Nous irions voir le lac Winnipeg.

Sur le coup, je me dressai debout, je sautai comme une chèvre excitée.

— Eh là, eh là, prends garde, ne te réjouis pas trop vite, fit le vieillard. Si ta mère n'allait pas vouloir, que ferais-tu, mon petit poulet ?

Ce que je ferais ? C'était comme si je dégringolais tout à coup de sept ou huit étages. Mais comment aussi, en si peu de temps, avais-je pu monter à cette hauteur ?

— Tu vois ! dit-il. Il ne faut pas s'élever trop vite. Il ne faut pas sauter tout de suite au déjà-je-l'ai. C'est mauvais pour le cœur, petite fille. Avant, il est bon d'examiner un peu.

— Mais je veux aller au lac avec toi, m'écriai-je, presque en larmes.

— Oui, je sais, fit le vieillard. Et voilà que moi-même, depuis une semaine, je ne pense qu'à cela. Nous en faisons, une belle paire. Car c'est quand même tout un petit voyage. On n'en pourrait revenir qu'à la nuit tombée. J'ai consulté les horaires ; pas moyen de faire autrement ; le train de Winnipeg Beach ne rentre que vers onze heures. D'autre part, rêva-t-il, ta mère a l'air d'une personne d'intuition, qui voit au-delà des convenances et des jugements tout faits. Elle a l'air d'être une femme d'inspiration...

C'est avec ce beau mot un peu impénétrable que j'arrivai chez moi à la course, relançai maman à la cave, lui jetai mes bras autour du cou, la cajolant.

— Tu es une femme d'inspiration.

— Vraiment ! dit-elle.

— D'inspiration, criai-je, déçue qu'elle ne fût pas plus enchantée d'un compliment si rare. Aussi bien ne pus-je m'empêcher d'en donner la source, pensant qu'alors elle en comprendrait la valeur :

— C'est vrai : c'est M. Saint-Hilaire qui l'a dit.

Ma pauvre mère ! Avais-je seulement jusqu'alors pensé qu'elle non plus n'avait jamais vu le grand lac Winnipeg, pas si éloigné pourtant de notre ville ; mais, asservie à nos besoins, quand, comment aurait-elle pu vivre un jour au moins selon les désirs toujours avides de son âme, ces vastes désirs tournés vers l'eau, les plaines, les lointains horizons en lesquels nous nous reconnaissons avec notre plus pur amour ! Et même ne commençait-elle pas à s'apercevoir que pour elle il était tard déjà pour assouvir ces désirs qui, non contentés, nous laissent pourtant comme imparfaits à nos yeux, dans leur traînée de regrets nostalgiques ? Mais ainsi était-elle devenue extrêmement attentive à obtenir pour nous du moins ce qu'elle n'avait pas possédé de ce monde.

Aux premiers mots que je dis, elle dressa l'oreille. Toute lasse qu'elle était, elle sourit à mon extraordinaire enthousiasme.

— Le grand lac Winnipeg, maman !

Et comme presque toujours, en me regardant, elle oublia ses propres droits en faveur des miens.

— Que te voilà chétive et maigriotte, observa-t-elle, le voyant peut-être mieux que jamais, parce que justement j'étais animée : un grand feu de petits fagots, comme on disait de moi. Ces vacances, pauvre enfant, ne t'auront guère profité. Et elle reprit sa rengaine de tous les jours : Ah si seulement j'avais pu t'envoyer à la campagne ! Je l'aurais pu, évidemment, mais en prenant l'argent peut-être encore plus nécessaire ailleurs. Comment savoir aussi ce qui est le plus important ?

Absorbée en ses pensées, elle ne prenait pas garde à ce que je racontais avec tant de volubilité. « Mais justement le vieux monsieur veuf veut m'emmener passer toute une journée au lac… »

Puis, d'instinct, je remplaçai le « vieux monsieur veuf » par « ce bon M. Saint-Hilaire ».

Maman enfin m'écoutait.

— Ce M. Saint-Hilaire, fit-elle avec une pointe d'envie, tu n'as que ce nom à la bouche. Qu'a-t-il pu encore inventer, ce vieil enfant ?

Je recommençai mon plaidoyer, m'expliquant mal, je le sais, par frénésie de désir, par effroi, si je m'y prenais mal, de le desservir, car je n'étais pas sans m'apercevoir que ce n'était pas le genre de chose qu'on peut demander tous les jours. À défaut d'habileté, j'y mettais de la passion.

— Maman, le plus grand lac du Manitoba !… peut-être du monde ! Et je ne l'aurais pas vu ! J'aurais moi aussi passé ma vie sans le voir !…

Maman comprenait enfin, elle en avait les sourcils noués, les yeux butés ; malgré cela, elle commença quelque peu de sourire de mon effroyable pessimisme.

— Oh, toute ta vie ! Qu'est-ce que c'est encore que toute ta vie ! Va, tu as bien le temps, toi, avant de renoncer…

Puis elle devint soucieuse comme peu souvent je l'ai vue,

elle qui eut tant de soucis. Elle s'assit sur une bûche, dans la cave sombre, près de la grosse « fournaise », morte, bien entendu. Et c'était malgré tout triste et drôle à la fois de la voir chercher à présent un peu de frais à côté de cette « fournaise » qui, l'hiver, tant elle chauffait, n'attirait plus tout près d'elle que le chat.

— Toute une journée, ces deux-là ensemble, se disait-elle. Et ne revenir qu'à la nuit…

— C'est à cause du train, me hâtai-je d'expliquer.

— Qui a eu cette idée-là ? demanda-t-elle un peu sévèrement. Toi ?

— Oh non, non non non…

Elle s'adoucit un peu. J'eus alors pour elle un geste caressant, de mes doigts cherchant à effacer de petites rides que je lui découvrais tout à coup au coin des yeux.

— C'est un des problèmes les plus embêtants que j'aie jamais eu à résoudre, dit-elle.

Ma mauvaise humeur et la crainte me reprirent.

— Je ne vois pas en quoi c'est embêtant !

— Tu ne comprends pas…

Je voyais ses yeux errer vers le tas de charbon dans un coin, se poser sur ce qui traînait autour, des choses d'hiver : une pelle à neige, du bois cordé, une égoïne, se poser sur toutes ces choses comme si elles eussent pu l'éclairer, puis se durcir tout à coup pour un refus, mais se reprendre, s'attendrir, accueillir une petite lueur d'acquiescement.

J'étais sur des épines. Je me mourais de ces débats.

— Ah, décide-toi, maman. Ce n'est qu'une journée.

— Je ne sais pas ce que je dois faire, m'avoua-t-elle.

La voyant ébranlée, je me pendis à son bras, puis je la poussai un peu pour m'asseoir à côté d'elle sur la bûche.

— Maman, le grand lac Winnipeg que de toute ma vie je n'ai pas vu encore !…

D'habitude, elle riait de moi quand je parlais ainsi. Cette fois elle m'en parut touchée. S'était-elle mise à la place de l'enfant dont le désir est presque un supplice ? Ou m'avait-elle mise à la place de la mère âgée à qui n'apparaîtra peut-être jamais le lac ?

— Je n'ai pas l'argent ni le temps pour te conduire le voir, fit-elle en guise d'excuse, et comme s'il en fallait absolument une à sa conscience.

Puis elle me regarda, indécise encore, et cependant elle aussi, je le crois bien, séduite, attirée par ce mirage d'eau libre qui jusqu'au fond de la cave sombre à odeur de moisi venait emplir nos imaginations.

Eut-elle le désir de voir au moins quelque chose du lac dans mes yeux quand je reviendrais ? Ou en tout ceci pensa-t-elle surtout au vieillard qui n'avait plus beaucoup de temps pour attendre de le revoir ? En tout cas sa prudence paraissait en déroute — sa prudence que plus que bien d'autres êtres, et Dieu en soit loué ! elle sut mettre parfois de côté pour donner place, comme elle disait, « à la folie ».

IV

Nous partîmes tôt le matin, cette fois nous moquant bien de la chaleur, et même, je crois, sans souci de ceux qui restaient en ville, la souhaitant plus que jamais exagérée puisque, à cette condition, nous, près du lac, en goûterions sa fraîcheur la plus désirable.

— Ce serait bien désastreux, me disait le vieillard, comme nous arrivions à la gare, qu'aujourd'hui même l'air se rafraîchît et peut-être tournât à la pluie. Mais je ne pense pas, dit-il, que l'on nous joue ce méchant tour. Quelque chose me dit qu'aujourd'hui sera le sommet de cette monstrueuse vague de chaleur. Il fera peut-être 102 degrés. Mais nous, au lac, c'est à peine si nous nous en apercevrons.

Nous prîmes place dans le train, le vieillard m'installant près de la fenêtre afin que je ne perde rien du paysage.

J'avais ma robe d'organdi rose et dans mes cheveux une grosse boucle de ruban blanc. Maman m'avait bien recommandé de ne pas me mettre à rechigner ni en aucune manière d'importuner le vieillard pour obtenir qu'il m'offrît ceci ou cela. À lui, elle avait recommandé de ne pas céder à mes caprices et de ne pas me laisser manger trop de crème glacée et de grains de maïs soufflé.

Pour le reste, elle nous avait de bon cœur abandonnés à notre si mystérieuse tendresse l'un pour l'autre, nous disant, du regard, il me semble : « Je suis folle, il n'y a pas de doute, c'est même inimaginable ce que je suis folle de vous laisser partir. »

En tout cas, croyant avoir bien interprété les intentions de ma mère, je me montrai dès le départ aussi préoccupée du vieillard qu'il l'était de moi.

Le train donna bientôt une petite secousse qui me ravit. Mais ce n'était qu'une manœuvre. Nous sommes restés encore cinq longues minutes en gare ; d'impatience, je donnais des coups de hanche au siège, je tâchais peut-être d'inciter le train à partir. Enfin, cela se fit. Aussitôt, je pense, l'œil collé à la vitre, je me pris à guetter l'apparition du lac.

Le vieillard se mit à rire de mon énervement.

— Modère-toi, me dit-il. L'impatience use. Et à ce train-là, tu seras épuisée avant même d'avoir vu le lac. Tu n'auras plus rien à lui donner, à lui qui mérite tant. Est-ce ainsi que tu veux être en arrivant au lac ?

Ah non, ai-je pensé. Il est sûr, au contraire, que je doive me garder pour le lac.

— Nous en avons encore pour deux heures presque avant d'arriver, dit-il. Ça peut paraître long, mais, tu verras, ça passe. Garde-toi pour le lac.

Je parvins à cesser de balancer les jambes, les épaules et les bras. Mais à l'intérieur de moi, tout continuait à être secousses, élans et tressauts. Mon cœur était bondissant comme quelque petit animal en cage qui pressent qu'on va lui ouvrir la porte. Dans sa hâte de cette porte qui allait s'ouvrir, il courait de tous côtés, se cognait partout, incapable de se contenir, de se dire : mais oui, la porte va s'ouvrir. De temps en temps, j'appuyais la main à cet endroit de moi-même où il se passait de si curieuses choses.

Le vieillard comprit que j'étais trop heureuse, que j'en avais mal. Il me sourit avec une infinie patience. Il m'avoua qu'à mon âge, quand il s'agissait par exemple d'un pique-nique, il se dépensait d'avance avec la même frénésie qui épuise, que les enfants se ressemblaient sur ce point et que c'était là, à bien y penser, une curieuse chose.

— Pourquoi, en effet, me demanda-t-il, eux qui ont encore tout le temps devant eux, se sentent-ils un tel besoin de se dépêcher ?

Je ne le savais pas. Tout ce que je savais, c'était que j'avais envie de me dépêcher.

— Pourtant les montagnes et les lacs attendent, dit-il ; ils restent en place, ils ne peuvent faire autrement qu'attendre.

Peut-être... ai-je pensé, mais maman qui a attendu avec toute la patience du monde est encore dans la cave à regarder le ciel par le soupirail. Pour la première fois je ne tombais pas entièrement d'accord avec mon vieil ami. Si on ne se dépêche pas terriblement, me disais-je, bien des choses nous échappent et même de celles qui restent immobiles à nous attendre.

Nous voyagions à travers une triste petite forêt d'arbres gris et frêles — peut-être n'étaient-ce même pas des arbres, mais que des masses de buissons enchevêtrés auxquels se mêlaient quelques sapins et des épinettes sans beaucoup de vie. Ou peut-être s'agissait-il d'une de ces forêts naguère détruites par un feu de brousse, et elles repoussent mal. En tout cas, comme moi le vieillard trouva bien triste cette région qu'il appelait une savane.

Il y faisait presque aussi chaud qu'en pleine ville. Comment l'air aurait-il pu circuler à travers ces petits bois à la fois si malingres et touffus ? La vitesse seule créait de l'air. J'avais presque toujours la tête hors du wagon à cueillir sur mon visage un peu de vent. Mais le vieillard me pria de rentrer la tête, me faisant observer qu'il pouvait être dangereux de la laisser dehors.

Je lui obéis. Maman m'avait dit de lui obéir. De moi-même au reste, tout enfant que fût le vieillard, je sentais que je lui devais malgré tout obéissance — mais aussi protection. À bien y penser, curieuses, oui, très curieuses étaient nos relations — et pourtant n'étaient-elles pas infiniment claires ?

Après lui avoir obéi, longtemps je cherchai dans mon imagination ce que je pourrais bien, de mon côté et pour son bien, obtenir de lui faire faire, mais je ne trouvai rien.

Alors, tout à coup, le petit train lança un coup de sifflet hardi et joyeux, comme s'il annonçait : Attention, vous allez voir du merveilleux, du neuf, et qui en vaut la peine ! Il prenait en même temps, assez vite, un court tournant. J'aperçus alors — ou crus apercevoir — une immense nappe de bleu tendre, vivant, profond, lisse et, me sembla-t-il, liquide. Mon âme pour l'accueillir s'élargit.

— C'est le lac ?

Le vieillard avait vu s'agrandir mes yeux, se tendre mes mains vers ce bleu à découvert.

— C'est le ciel seulement, me dit-il.

Après un long silence, je lui demandai :

— Ils se ressemblent ?

Le vieillard acquiesça de la tête, pensif.

— Oui, au fond, le lac et le ciel se ressemblent. Parfois ils sont tout à fait de la même couleur.

— Toujours bleu ?

— Non, pas toujours bleu, loin de là. Le lac suit l'humeur du ciel. Si celui-ci est gris et taciturne, celui-là aussi est gris et taciturne.

— Mais pourquoi le ciel devient-il taciturne ? A-t-il de la peine ?

— De la peine, ça se peut, au fond, fit le vieillard avec un sourire un peu absent.

Puis il se ranima :

— Une chose belle à voir, malgré tout, c'est le lac en colère.

— En colère ?

— Ah oui ! Supposons qu'arrive un vent violent. Bientôt le lac est tout agité lui aussi. Arrive encore du vent de plus en plus démonté. Et voici le lac couleur de plomb. Encore un peu de temps, et le voici qui se balance d'un bord à l'autre. Sur le lac

Winnipeg, m'apprit-il, j'ai vu des tempêtes presque aussi grosses que sur la mer.

— Ah ! la mer, dis-je, ça c'est encore une autre chose que de toute ma vie je n'ai pas vue ! Tant de choses que je n'ai pas vues !

— Hé! Hé! m'arrêta le vieillard. Pour aujourd'hui, contente-toi du lac Winnipeg. Crois-moi, c'est bien assez pour un jour. Il ne faut pas vouloir dévorer la vie.

— Oui, acquiesçai-je, le lac Winnipeg ça doit être assez pour un jour. Mais raconte-moi encore comment il est quand souffle le vent fort.

— Ça dépend, fit le vieillard, de quel côté souffle le vent et si c'est par une journée belle malgré tout ou endeuillée. Veux-tu que je te parle d'une des fois où le lac m'a paru le plus beau ?

— Oh oui, parle-moi de cette fois-là.

— Ce jour-là, raconta-t-il, le lac se couvrit de milliers de petites vagues peu hautes, mais rapides et qui accouraient de toutes parts. Toutes portaient un panache blanc. On aurait dit des oiseaux qui se laissaient porter et balancer par la vague. Au reste, de vrais oiseaux, de petites mouettes des lacs, avaient pris place sur l'eau agitée, et on les voyait elles aussi sans cesse monter puis redescendre, en se tenant bien calmes pourtant, avec leurs petites ailes collées à leur corps et leur bec coloré qui jetait des éclats. Ce jour-là, le lac m'a paru danser devant le Seigneur.

Ah ! que cette image me plut ! Je les vis — les mouettes ou les vagues, je ne sais trop lesquelles — également blanches et bondissantes. À ce moment, je fus si violemment surexcitée que le vieillard me prit le poignet et y chercha mon pouls dont il me dit qu'il avait peine à le compter tant il allait vite.

— On dirait une petite montre folle, fit-il, comme s'il m'en blâmait.

Ce n'était pas ma faute pourtant. Déjà, à cause de ce pouls trop rapide, on m'interdisait les exercices violents, et si j'avais quand même appris à monter des échasses, c'était en cachette de maman.

— Vas-tu donc être aussi passionnée toute ta vie ? me demanda le vieillard.

Qu'est-ce que j'en savais ! Néanmoins je répondis avec aplomb :

— Oui, je serai comme cela toute ma vie.

Alors, dans sa barbe, le vieillard rit un peu de moi.

— Puisque mes histoires te font cet effet, dit-il, je ne t'en raconterai plus.

Mais, quelques minutes plus tard, il m'en racontait d'autres. Par exemple, que le lac était plus vieux que la terre du Manitoba et qu'il serait encore là après des milliers d'années. Pour l'éternité des temps, me dit-il.

Je pris peur à ce mot. J'en fus troublée comme lorsque j'allais dans le petit bois de chênes sombres où toujours je retrouvais — mais pourquoi là ? — le souvenir de ma grand-mère en son cercueil.

— L'éternité des temps, c'est quand on meurt ?

— Mais non, c'est la vie qui ne finit plus.

Je le comprenais de moins en moins, mais peu importe, car à ce moment le petit train s'engagea dans une courbe assez vive et nous fûmes projetés ensemble vers le passage, ce qui nous fit rire de joie. Puis le train siffla. Les bois s'écartèrent. Du bleu apparut — loin encore — mais même à cette distance je le pressentis vivant.

— C'est lui ! criai-je, dressée debout et portant de nouveau la main à mon cœur avec ce curieux geste de petite vieille que j'eus dès l'enfance.

Puis je tournai les yeux vers le vieillard. Il me fit signe que oui. Il ne pouvait pas parler lui non plus tellement il était content. Mais ses yeux ne guettaient plus le grand champ bleu étalé au loin. Ils me guettaient, moi plutôt, comme si c'était moi le grand lac que nous venions voir.

V

Après cette échappée libre du lac, Winnipeg Beach me déçut à en pleurer d'atroce désillusion. Quelque part dans le ciel, je vis tourner une roue de cirque ; il m'arriva des cris de camelots, des flonflons d'une musiquette exaspérante et des odeurs de graisse chauffée. Au loin, sur des montagnes russes descendait à toute allure un chariot plein de gens dont j'entendais, quand ils avaient repris leur souffle, le long cri hystérique. Nous étions bien, hélas, dans une ville encore, avec des rues, des magasins bondés, des restaurants grouillants, mais une ville infiniment plus triste que la nôtre ; les gens y allaient demi-nus, une serviette sur l'épaule, en mangeant des frites contenues dans des cornets ou des saucisses chaudes en sandwiches.

Je saisis la main du vieillard. Je me pris à gémir :

— Le lac ? Où est le lac ?

— Patience, dit-il, on y arrive, on y arrive.

Nous avons pourtant longuement tourné en rond, l'air malheureux, cherchant du regard une échappée par-delà cette foule qui nous bousculait et faillit nous séparer une ou deux fois.

— Rien n'est plus comme dans mon temps, geignait le vieillard. C'est incroyable. Dans mon temps, il n'y avait ici qu'une gare en bois et, un peu plus loin, une douzaine de petits chalets. Ah, les mécréants, de nous avoir ainsi abîmé le paysage !

À le voir si dérouté, je me sentais m'enfoncer dans un sentiment de catastrophe. J'éprouvai un doute, je pense, sur ce qu'il m'avait dit du lac et qui n'était peut-être plus vrai. J'étais tellement inquiète au sujet des choses qu'il m'avait promises que je me pendis à son bras.

— Est-ce qu'on va au moins le retrouver ?

— Quoi donc, petit ?

— Le lac ?

— Ah, ça ! et il revint à lui-même — ou devrais-je dire à moi plutôt ? — pour rire un peu. Un si grand lac ! Ils ne peuvent tout de même pas l'avoir transporté ailleurs, encore qu'ils seraient bien capables de s'y essayer s'ils le pouvaient.

— Ah bon ! dis-je, un peu remise, mais sans comprendre qui étaient ceux qui auraient essayé, s'ils l'avaient pu, de s'attaquer au lac.

— Des chenapans, ce sont des chenapans, bougonna le vieillard que je voyais pour la première fois un peu fâché, ce dont j'étais grandement étonnée. Mais une chose, me dit-il : la plage m'a l'air assez loin de la petite ville. Si nous allions manger maintenant avant de nous en éloigner ? Ou allons-nous d'abord reconnaître le lac ?

— Ah, le lac ! Reconnaître le lac !

Il pressa ma main avec douceur :

— Je me disais aussi que c'était ce que tu voudrais.

Peu à peu nous avons laissé derrière nous les odeurs de friture et les cris de la foire. Nous allions par de petites rues encore, mais elles devinrent de sable, puis les trottoirs aussi cessèrent. De chaque côté, les cottages s'enfouissaient de mieux en mieux dans des épinettes et des sapins qui sentaient bon au soleil. Je surveillais la moindre réaction du vieillard, demeurant étonnée au possible de l'avoir vu grognon.

— Maintenant, c'est comme de ton temps ?

Un impossible désir en effet me tenait, et c'était de lui voir rendu « son » temps dont je m'imaginais peut-être qu'il lui ressemblait. Mais alors j'eus tant de doute sur la réalisation d'un pareil souhait que je lui demandai :

— Des temps... est-ce que ça se retrouve ?

— Parfois... parfois... murmura-t-il, d'abord comme s'il n'en était pas du tout sûr, puis peu à peu avec l'air d'y croire tout de même.

Car à ce moment est venu au-devant de nous un bon air plus vif encore que celui de la plaine ouverte. Ça nous a surpris, cet air si vif. Nous avons redressé la tête pour nous regarder l'un l'autre en l'accueillant.

— C'est *son* souffle, me renseigna le vieillard.

Un instant plus tard, il m'immobilisa d'une main posée sur mon épaule.

— Écoute. Tu l'entends ?

C'était vrai, avant de le voir nous avons pu l'entendre : un grand battement régulier comme de mains frappées ensemble au loin pour applaudir. Tout de suite j'ai désiré courir au-devant. Mais le vieillard avait peine à marcher dans le sable mou. Déjà il était essoufflé. C'est pourquoi j'ai tâché de l'attendre, mais tout en le tirant un peu par la main.

Nous sommes arrivés sur une longue plage d'un sable aussi doux aux pieds qu'au regard. Devant, d'un horizon à l'autre, comme avait dit le vieillard, c'était le lac. Rien que de l'eau. Mais il y avait de plus ceci à quoi je ne m'attendais pas : c'est que le lac qui faisait entendre son bruit particulier gardait cependant aussi le silence. Comment concilier cela, cette impression d'un murmure infatigable et en même temps de silence ? Évidemment, je n'y suis pas encore arrivée, depuis le temps que je me préoccupe de ce sujet, depuis cette visite au premier grand lac de ma vie. Je me demande même si je suis plus avancée aujourd'hui que je ne l'ai été ce jour-là.

Nous nous sommes assis l'un contre l'autre dans le sable, devant le lac Winnipeg. Les vagues légères venaient presque à nos pieds murmurer peut-être qu'elles étaient contentes de nous voir enfin tous deux arrivés. Je me mis à chercher des yeux des mouettes sur les flots, mais il n'y en avait pas encore. À tout instant une merveilleuse fraîcheur venait toucher nos visages. Pendant un long moment — une demi-heure peut-être — nous n'avons eu envie de rien d'autre que de nous laisser aller à écouter et à regarder le lac.

À la fin, le vieillard me demanda :

— Tu es bien ?

Ah, sans doute l'étais-je comme jamais encore je ne l'avais été, mais justement cette joie inconnue était comme trop grande, elle me tenait suprêmement étonnée. Par la suite, j'ai appris évidemment que c'est le propre même de la joie, ce ravissement dans l'étonnement, ce sentiment d'une révélation à la fois si simple, si naturelle et si grande pourtant que l'on ne sait trop qu'en dire, sinon : « Ah, c'est donc cela ! »

J'avais eu beau me préparer, tout dépassait mon attente, ce grand ciel mi-nuageux, mi-ensoleillé, cet incroyable croissant de plage, l'eau surtout, son étendue sans bornes qui, à mes yeux de petite terrienne habituée aux horizons secs, devait paraître un peu comme du gaspillage, tant nous étions entraînés chez nous à ménager l'eau. Je n'en revenais pas. En suis-je jamais revenue au reste ? Et revient-on jamais, au fond, d'un grand lac ?

Malgré la tendre caresse de la brise, nous nous sommes vite aperçus que sur ce sable répandu le soleil tapait fort. Rien, à son âge, me dit le vieillard, n'était autant à craindre que les excès, les excès de soleil comme les autres — et justement, me semblait-il, cet été en était un d'excès. De son journal qu'il avait apporté plié dans sa poche, il se fit une espèce de bicorne. L'air y circulait mieux, me dit-il, que sous son chapeau des « îles », auquel en tout cas ça ne pourrait faire que du bien de se rafraîchir, tranquille, sur la plage. Il vit que j'avais envie d'un chapeau comme le sien. Alors il défit son bicorne, repartagea son papier et en eut assez pour se refaire un chapeau et en construire un plus petit pour moi.

Dès lors, coiffés de pareille façon, avec le chapeau des îles entre nous sur le sable, nous eûmes bien l'air de ce que nous étions, de petites gens de la ville peu habitués aux manières des plages et venus seulement y rêver.

Peu à peu des baigneurs envahirent la plage. La plupart étaient jeunes, bronzés et bruyants ; ils couraient pieds nus sur le sable ou entraient se jeter dans l'eau avec un grand floc qui la faisait rejaillir. Nous, nous gardions notre air secret et endimanché. Je ne pense pas que me soit venue l'idée que je pouvais avoir l'air à plaindre, toute raide dans ma robe d'organdi, à côté d'un vieil homme en noir. À supposer qu'eussent pu me gêner les regards qui s'attardaient sur nous, je pense que la tranquille respiration du lac, tout ce qu'il y avait ici à voir de grand et de parfait eût tôt fait de mettre en déroute un aussi petit sentiment que l'amour-propre. Maman, il est vrai, puisque j'allais au lac pour la journée, avait déploré ne pouvoir m'acheter un petit maillot de bain et n'avoir pas le temps de me coudre quelque chose qui en pourrait tenir lieu — et elle l'aurait pu, parce qu'elle était habile. Elle m'avait dit que je pourrais du moins trousser ma robe et aller « barboter » un peu dans l'eau. Je ne pense pas en avoir eu une telle envie. D'abord, c'était ma robe neuve. Et puis, au soleil sous mon bicorne, dans la fraîcheur humide qui baignait sans cesse mon visage, avec mon bon vieillard pour compagnon, il me semblait avoir tout ce qui importait — un bonheur si rare que peut-être fallait-il veiller à ne pas le charger, par peur d'en gâter la fine trame.

— Tu peux aller jouer, me dit le vieillard.

Je hochai la tête. Une journée comme aujourd'hui me paraissait aussi peu faite pour les jeux — ceux du moins que je connaissais déjà — que par exemple une journée à l'église, avec les orgues et l'allégresse. Je m'amusais seulement à cueillir de ce beau sable propre et sec que je laissais filer entre mes doigts ; ou encore j'en faisais de petits monticules bien tassés à la base et sur les côtés.

Tout ce temps, le chant profond du lac me pénétrait. J'entendais bien à présent qu'il s'agissait de tout autre chose que du bruit de paumes frappées l'une dans l'autre par une salle pleine, un soir de concert. Je voyais, un peu loin, se former un long et mince rouleau qui accourait vers le sable. Il s'y écrasait dans une sorte de soupir un peu triste peut-être. Il y avait alors une fraction de seconde pendant laquelle se faisait le silence ; puis l'eau revenait doucement s'étendre sur le sable qu'elle marquait d'une autre trace humide et plus fraîche. Était-ce le même rouleau qui toujours se faisait, se défaisait ? Ou en venait-il sans fin du fond du lac ?

Je le demandai au vieillard qui me dit ne pas le savoir. Lui qui se donnait tant de peine pour me répondre, que lui arrivait-il donc ? Je le regardai un moment avec stupeur. Il « caillait », selon une expression de maman qui voulait dire par là le vague qui vient dans le regard lorsque, par fatigue, par besoin de sommeil, l'attention ne se fixe plus ; et il est vrai qu'alors on le voit s'épaissir d'un coup comme du lait un jour de grande chaleur. Sans doute, dérangé dans toutes ses petites habitudes si régulières, il devait avoir un grand besoin de dormir, et j'aurais dû le laisser tranquille sous son bicorne de papier journal qui oscillait un peu à ses coups de tête — aujourd'hui encore je me fais grief de ne pas l'avoir laissé dormir. Mais à présent les interrogations passionnées me venaient en foule. Pourquoi tant d'eau ? Et pourquoi toute en un endroit, et pas du tout ailleurs ? Et pourquoi des vagues ?

Le vieillard fatigué se secouait. Il s'efforçait de me donner satisfaction.

— Pourquoi tant d'eau ? Mais pour la beauté, j'imagine. Parce que Dieu l'a décidé ainsi.

— Alors, c'est pour lui qu'il a fait le lac Winnipeg ?

— Pour lui ? Oui, sans doute, dit le vieillard. Mais pour nous aussi.

— Il savait qu'on viendrait le voir ?

Très, très fatigué, le vieillard sourit quand même un peu.

— Il devait s'en douter.

Tout ce temps, je me crevais les yeux à essayer de percevoir, au-delà de la vibration de la lumière sur l'eau, la fin du lac, ses rives lointaines.

— Là-bas, là-bas, demandai-je, est-ce la fin ou le commencement ?

Enfin, j'étais parvenue à tirer le vieillard de sa somnolence, et je me réjouis de voir revivre ses petits yeux bleus, quoiqu'ils eussent l'air un peu tristes en ce moment.

— La fin, le commencement ? Tu en poses de ces questions ! La fin, le commencement... Et si c'était la même chose au fond !

Il regardait lui-même très loin en me disant cela, et répéta :

— Si c'était la même chose !... Peut-être que tout arrive à former un grand cercle, la fin et le recommencement se rejoignant.

J'aimais qu'il me parlât parfois sur ce ton élevé, avec des paroles dont le son, si je n'en pénétrais pas tout le sens, me plaisait comme me plaisait la musique symphonique, ou encore de voir passer dans le haut ciel de ces nuages rêveurs dont on n'a aucune idée, au fond, de ce qu'ils représentent.

Toutefois, je me rappelai qu'il m'avait dit que le lac était plus long que large. Je lui demandai si, le lac n'étant pas rond, le commencement et la fin pouvaient quand même se toucher. Il me répondit que cela ne changeait rien à la mystérieuse rencontre, que la fin et le commencement avaient leur propre moyen de se retrouver.

À présent des centaines de baigneurs jouaient à se pourchasser avec des cris aigus, à se jeter de l'eau au visage ou des ballons à travers les éclaboussures. Il y en avait qui restaient étendus de tout leur long, couverts d'huile pour brunir. Nous étions les seuls à paraître tout à fait inoccupés.

— Ça ne te tente donc pas d'aller jouer ?

Je remuai la tête. Je m'efforçais toujours de démêler le chant un peu mélancolique de l'eau venant s'éteindre sur le sable. Quand tombaient un peu les cris et la rumeur joyeuse de la foule, je l'entendais, tranquille, toujours le même. À présent, j'avais l'impression d'une petite phrase chuchotée. Le lac n'en avait-il donc qu'une à dire depuis le commencement des temps et que sans cesse il disait et redisait ? Me parlait-il en particulier, ou aurait-il parlé aussi aux autres s'ils avaient écouté ? À force de l'entendre, la petite phrase chuchotée finit cependant par m'assoupir à moitié. Je me détendais malgré moi, malgré moi je m'abandonnais à la petite phrase même dont j'aurais tant voulu savoir ce qu'elle signifiait.

Mais au moment où j'allais m'endormir, le vieillard, lui, se réveilla tout à fait.

— N'as-tu donc pas faim maintenant ? Tu dois avoir faim. Allons-nous songer enfin à manger ?

Aussitôt je fus debout, éprouvant en effet un très bon appétit aiguisé par cet air libre.

— Je mangerais comme dix.

— Tant mieux, dit le vieillard.

Nous sommes retournés par un sentier dans le sable, puis un trottoir de planches et enfin de ciment vers la petite ville où heureusement nous avons pu trouver un restaurant pas trop grouillant, comme le désirait le vieillard. Quand je compris que malgré les recommandations de maman il allait commander pour moi un *sundae* aux bananes et à la guimauve, je pus à peine me retenir de lui crier qu'il était le meilleur ami que j'avais eu de toute ma vie. Il noua ma serviette autour de mon cou afin que je ne tache pas ma si jolie petite robe, dit-il.

— C'est ma plus belle, lui appris-je, et d'abord maman ne voulait pas entendre parler que je la mette pour aller m'asseoir dans le sable.

— Mais tu voulais la montrer au lac, je suppose, dit le vieillard en me faisant un clin d'œil.

C'était peut-être cela.

— Au fond, tu as eu raison, approuva le vieillard. On met sa plus jolie robe pour des cérémonies ennuyeuses. Pourquoi ne la mettrait-on pas aussi pour une journée de splendeur ?

Je lui recommandai à mon tour de prendre bien garde de ne pas tacher son veston de popeline noire dans lequel il avait l'air si propre, ce qui l'avait fait bien voir, dis-je, de la ville et de tout le monde. Moitié par jeu, moitié sérieusement, je l'aidai à remonter sa serviette jusqu'à couvrir sa barbe, tant elle était propre aussi. La curiosité m'en venant sur-le-champ, je songeai à m'informer s'il devait la laver comme ses cheveux au shampooing. Cette simple question le fit rire au point qu'il faillit s'étrangler. Je ne voyais pourtant pas là de quoi tant rire.

Non, me dit-il, il se contentait de l'essuyer avec un linge légèrement humide, ensuite de la peigner. Quelquefois, un petit coup de brosse pour finir. Mais il n'y avait pas de doute qu'une barbe donnait du souci, ne serait-ce que parce qu'elle avait tendance à retenir les miettes qui pouvaient tomber de la bouche. Ainsi donc, les gens s'imaginant qu'une barbe pouvait faire l'affaire des paresseux se trompaient. Garder sa barbe propre était encore plus de travail que de se raser.

— Seulement, c'est beau, lui dis-je.

Cela parut lui faire plaisir.

— Tu trouves ?

— Oh oui, et c'est rare !

— Pour ça oui, de nos jours ça devient rare.

Pendant qu'ainsi nous prenions soin l'un de l'autre et causions à cœur ouvert, des gens aux tables voisines nous observaient. Ils paraissaient ravis de nous deux, et peut-être un peu envieux. Alors une dame qui pensait parler bas ou croyait peut-être que le bruit de la vaisselle couvrirait sa voix, dit de nous ceci que nous avons fort bien entendu : « Est-ce que ce n'est pas charmant de voir ensemble et s'entendant si bien un grand-père et sa petite-fille ? »

Nous deux avons alors échangé un regard pétillant de ce que nous savions : que nous n'étions pas vraiment grand-père et petite-fille et que pourtant nous l'étions plus que si c'était vrai.

Après, le vieillard devint quand même songeur. Il tournait sans fin sa cuiller dans sa tasse. Il me dit qu'il avait des petits-enfants à lui — qui d'ailleurs n'étaient plus petits — qu'ils n'étaient pas méchants ni sans-cœur, mais qu'ils avaient dans le corps la maladie du siècle : le goût de la vitesse, des autos, des motocyclettes et aussi de dépenser l'argent au plus vite… et que lui, à présent, se sentait trop vieux pour pouvoir encore s'adapter à la frénésie d'aujourd'hui.

À moi il semblait pourtant qu'il savait bien s'adapter. Après avoir vidé ma coupe à *sundae* et gratté un peu le fond, je devins songeuse à mon tour.

— Parce que, lui dis-je, je n'ai plus de grand-père, plus de grand-mère, plus personne.

— Comment cela, plus personne ? fit-il comme si je l'avais vexé.

Ce n'était peut-être pas exactement ce que je voulais dire. N'empêche qu'un moment j'avais revu ma grand-mère comme au temps où elle disputait parfois, mais cousait si bien tout le temps, et l'idée qu'elle ne cousait plus nulle part me fit me sentir abandonnée.

— Il est vrai, dit le vieillard, qu'une seule personne venant à nous manquer, la terre peut nous paraître un désert.

Puis il se moucha un peu et dit :

— Mais ce n'est pas notre cas, à nous deux, hein ?

Je me mouchai aussi. Je n'étais pas si sûre tout à coup que ce ne fût pas notre cas, mais je dis comme lui pour lui faire plaisir.

Alors il recommença à « cailler ». Il finit même par s'endormir après avoir marmotté que c'était plus fort que lui : après les repas le sommeil le guettait.

Je le regardai dormir pendant quelques minutes. Peu à peu

le restaurant s'était vidé. Nous y étions seuls, et maintenant qu'il n'y avait plus de bruit autour de nous cet endroit me donna hâte de m'en aller. J'entendais une mouche se cogner au plafond. Puis le vieillard commença de ronfler un peu. C'était triste, ce petit sifflement qui s'échappait de ses lèvres entrouvertes. Son dentier glissa un peu hors de sa bouche. Tout à coup il m'apparut infiniment plus vieux que je m'en étais jusqu'alors aperçue, sans doute à cause de la vivacité de ses yeux bleus quand ils étaient éveillés ; mais à présent, ne montrant plus qu'un peu de blanc laiteux sous les paupières à moitié closes, ils m'effrayèrent. Je n'arrivais plus à le reconnaître. Alors une de ses mains qui reposaient sur la nappe glissa de la table, tomba le long de son corps et resta là, pendante et comme morte. J'eus peur. J'avançai les doigts pour toucher cette main inerte, et cela me fit presque le même effet que j'avais un jour ressenti à prendre entre mes mains un oiseau que j'avais trouvé mort. Qu'est-ce qui s'empara alors de moi ? L'idée que jamais plus le vieillard ne s'éveillerait si je ne me dépêchais de le ramener de ce côté ? Qui sait quelles pensées traversèrent mon esprit. Je me mis à crier son nom :

— Monsieur Saint-Hilaire ! Monsieur Saint-Hilaire !

Les hésitations de maman à nous laisser partir ensemble me paraissaient fondées maintenant, et je croyais comprendre que c'était pour le vieillard plus que pour moi qu'elle avait tant craint ce voyage.

— Monsieur Saint-Hilaire !

Il sursauta, ouvrit les yeux, parut ne pas savoir où il était, qui j'étais moi-même. Pendant ces quelques secondes, ce fut comme s'il me regardait de plus loin encore que si tout le lac Winnipeg eût été entre nous. Je n'avais jamais été regardée de si loin par quelqu'un que je connaissais, et en quelque sorte cela me fit plus peur encore que de l'avoir vu dormir. Il me reconnut enfin et me sourit, comme rassuré :

— C'est toi, ma petite amie ! Tu as bien fait de me réveiller.

À tout bout de champ à présent je m'endors, pour me réveiller ensuite tout égaré...

— Ne t'endors plus, le suppliai-je.

Il chassa les miettes de sa barbe, paya et me dit comme nous sortions :

— Tu as raison... c'est pas une journée pour dormir... J'en aurai bien le temps, va !...

Puis il parvint à se redresser assez bien encore et me consulta :

— Voici : il nous reste quelques heures de clarté encore... Est-ce qu'on en profite pour retourner au lac ?

— Oh oui, le lac !

Ainsi, la main dans la main, nous tenant ensemble comme des gens qui craignent d'être séparés, mais ne nous disant à peu près plus rien, un peu tristes malgré tout, nous sommes retournés en traînant la patte vers la grande rumeur amie là-bas que de nouveau, avant de l'atteindre, nous avons entendue venir à notre rencontre.

Nous eûmes presque à nous seuls, cette fois, la longue plage de sable fin. Le temps avait changé. De gros nuages menaçants venaient de ce lointain du lac dont je m'étais tant demandé si c'était la fin ou le commencement. Un peu de vent passa sur nous. Mais au lieu de former ces belles petites vagues que je désirais voir, l'eau se rida tout simplement et prit une vilaine couleur grise. Je fus étonnée que le lac, si radieux au soleil, pût prendre un air si morose. Alors, l'air fraîchit brusquement. Nous en eûmes presque le frisson.

— Tu ne prendras pas froid au moins ? s'inquiéta le vieillard. Il aurait fallu se munir d'un chandail. Mais qui l'aurait cru nécessaire ce matin, en partant !

Alors nous nous mîmes à parler de chez nous comme de « là-bas » et comme s'il y avait déjà des années que nous en étions partis.

— Je me demande si là-bas le temps a fraîchi aussi, dit le

vieillard. Peut-être pas. Ici c'est si changeant. Là-bas, c'est peut-être encore une étuve.

Nous avions retrouvé pour nous rasseoir dans le sable notre même place que j'avais reconnue à la série de petites pyramides dressées par moi. Je continuai à en élever d'autres, mais sans grand enthousiasme.

— Là-bas, dis-je, et je pensais moi aussi à notre petite rue chaude et étouffante, ils doivent trouver qu'on est longtemps parti.

— Oh, pour moi, tu sais, fit le vieillard, personne ne remarque beaucoup que je sois ici ou là.

— Non, ils ne s'en aperçoivent pas ?

Il fit aussitôt un grand effort pour paraître gai et dit comme pour me taquiner :

— Toi, tu t'en apercevrais ?

Mais je ne pus répondre tant je me sentais émue d'une émotion que je ne comprenais pourtant pas.

Il se fit alors un calme surprenant dans la nature, le lac lui-même se taisant presque. On eût dit que c'était lui à présent qui tâchait d'écouter ce que nous avions à nous dire. Cela nous porta à baisser la voix. Ensemble, alors, nous avons entendu très au loin, sur le lac ou dans les bois alentour, un cri d'oiseau étrange, à faire peur. Mais le vieillard aima ce cri désolé. Il dit, en relevant la tête :

— Tiens, un huard ! Je ne pensais pas qu'il y en eût encore par ici, car le huard ne se plaît qu'en des endroits écartés.

Cela paraissait lui faire plaisir qu'il y eût encore au moins un huard par ici. Sa vieille main traînait sur le sable. Je la regardais depuis un moment sans savoir que je la regardais, et je finis par demander :

— Ça fait mal d'être vieux ?

Il fit alors semblant de rire de moi, mais cacha sa main derrière son dos.

— Qu'est-ce qui te fait penser une chose pareille ?

Et il ajouta, ce qui me parut le comble du mystère :

— On n'est pas tellement plus mal vieux que jeune, tu sais. Regarde, toi, tous les petits tracas que tu te fais !

Cependant un peu plus tard, il soupira :

— Malgré tout, les bords de l'eau, quand vient le soir, c'est toujours un peu grave…

— Pourquoi est-ce grave ?

Il recommençait à avoir l'air très fatigué.

— Tout ce que je sais, c'est que l'eau paraît en savoir plus long que la terre, peut-être parce qu'elle est plus ancienne. Tout a commencé par l'eau dans la création.

— Ah, tout a commencé par l'eau ? Vous en savez des choses ! ai-je ajouté, presque envieuse.

— Et toi, me dit-il, en vieillissant tu en sauras encore plus.

Mais je ne voulais pas vieillir, je voulais tout savoir sans vieillir ; mais surtout, j'imagine, je ne voulais pas voir vieillir autour de moi. À côté de nous gisaient où nous les avions abandonnés nos chapeaux de papier journal piétinés par les gens. J'essayai de défroisser le mien, voulant peut-être l'emporter en souvenir. Subitement j'eus des larmes dans les yeux.

Tout alarmé, le vieillard me prit le menton pour le relever et me regarder le visage.

— Qu'est-ce qu'il y a donc ? Tu t'ennuies toute seule avec un vieux ?

— C'est pas ça… C'est pas ça…

— Eh bien, quoi alors ?

Qu'aurais-je pu lui faire comprendre de ce poids de chagrin qui me venait, la brillante couleur des choses éteintes, de les voir à présent ternes et comme délaissées ? Et surtout d'avoir entrevu enfin presque clairement aujourd'hui la vérité de la vieillesse et à quoi elle mène ? Je ramenai vers lui des yeux navrés.

— Mais qu'y a-t-il donc dans cette petite tête ? Est-ce que tu regrettes d'être venue voir le lac ?

— Oh non, oh non, m'écriai-je dans une étrange stupéfaction, comme s'il m'eût demandé plutôt : Regrettes-tu d'être en vie, d'avoir un cœur, une imagination, des parents et moi-même, ton vieil ami ? Car le lac dont la petite phrase m'était demeurée inintelligible, qui en s'attristant, le soir, m'avait attristée, comment aurais-je pu lui en vouloir plus que nous en voulons au fond à la vie de nous grandir malgré nous ?

— Mais qu'est-ce donc ? répétait le vieillard.

Et je finis par me décharger en lui.

— Quand on est vieux, vieux, est-ce qu'il faut mourir ?

— Ah, dit-il, c'est donc ça qui te tracasse !

J'attendais sa réponse. Personne ne m'avait bien répondu sur ce sujet. Lui, peut-être !...

Il passa sa main doucement sur mon front.

— D'abord, il y a des oiseaux qui meurent jeunes...

— Oui, c'est vrai, j'en ai trouvé un, une fois.

— Et, continua-t-il, c'est un peu triste, malgré tout, de mourir jeune. Parce qu'on n'a pas eu le temps d'apprendre, d'aimer assez... Comprends-tu ? Mais, vieux, c'est naturel.

— C'est naturel ?

— Tout ce qu'il y a de plus naturel. On a fait sa vie. On a comme le goût d'aller voir maintenant de l'autre côté.

— Ah ! Parce que vous avez assez appris et aimé de ce côté-ci ?

D'instinct, je ne sais pourquoi, je m'étais remise pour l'instant à le vouvoyer. Lui laissa errer ses yeux longtemps sur le lac, le sable et le ciel.

— Assez appris ?... Assez aimé ?... je ne sais pas. Peut-être qu'on n'a jamais assez appris et aimé. Je voudrais encore un petit peu de temps. Je suppose qu'on voudrait toujours encore un petit peu de temps.

J'étais un peu remontée malgré tout et je recommençai à tasser du sable en petites montagnes.

— De l'autre côté, là où on va quand c'est fini par ici, où ça se trouve ?

Il sourit finement en considérant mon visage levé vers lui.

— Si on le savait exactement, ce serait peut-être moins beau, moins attirant. Quand tu pars dans tes découvertes, est-ce que ce n'est pas agréable de ne pas trop savoir au juste ce que tu vas découvrir?...

— Parce que c'est une découverte?

— Comme tu dis!... Comme tu dis!...

Ce pays mystérieux dont il m'entretenait sous le ciel de plomb, je commençais à le trouver bien intéressant.

— Est-ce que ce sera plus beau encore qu'au bord du lac?

— Probablement. J'ai comme l'idée qu'on va se retrouver tous ensemble par là, les gens et les choses qu'on aime.

— Tu vas peut-être retrouver ma grand-mère, commençai-je assez gaiement, mais je retombai aussitôt dans la tristesse dont il m'avait pourtant si bien tirée.

Je pris sur la plage près de moi un petit débris de bois et, de la pointe, me mis à tracer des signes sur le sable. Ensuite, comme tant d'enfants aiment le faire, peut-être pour attester de leur existence courte mais si pleine déjà, j'écrivis mon nom dans le sable, et je le fis suivre du chiffre 8.

— C'est un bel âge, dit le vieillard qui me regardait faire. C'est le commencement.

Mais il me sembla entendre dans sa voix qu'il me trouvait chanceuse d'être seulement au commencement et cela me rejeta à ma peine bouleversante. Je suppose que je ne pouvais supporter cette joie d'être au commencement cependant que lui était à la fin.

— Ma grand-mère était vieille, vieille, quand elle est morte, lui appris-je. Elle avait quatre-vingts ans.

— C'est pas encore si vieux que cela! dit le vieillard.

— Non? fis-je incrédule, et un doute terrible me venant à l'instant, je l'interrogeai du regard.

— J'ai moi-même pas mal plus que cela, dit-il, en penchant la tête, comme s'il avait un peu honte d'être si vieux. Écris-le sur le sable, me suggéra-t-il.

À mon oreille, il chuchota. J'écrivis alors ce qu'il m'avait chuchoté : quatre-vingt-quatre. Dieu sait pourquoi j'eus l'idée de disposer ces chiffres, son âge et le mien, comme dans un problème d'arithmétique, et je fis la soustraction. Je fus atterrée devant ce qui me restait et me parut nous séparer par quelque étendue de temps plus mystérieuse encore que les étendues d'eau et de terre.

— Soixante-seize ans, c'est beaucoup, dis-je.

De l'œil, il avait suivi mon calcul sur le sable, et il dit, comme s'il était réjoui pour moi :

— C'est curieux : on dit de quelqu'un qui arrive comme moi à un âge avancé qu'il a atteint un bel âge. Mais c'est toi qui en es au bel âge. Toute cette belle longue vie devant toi ! Que vas-tu en faire ? me demanda-t-il comme pour jouer aux devinettes.

Qu'en savais-je ? Au reste, j'étais plutôt découragée, je pense, par le sentiment de l'inégalité et de l'injustice en cette vie. Pourquoi aussi n'arrivait-on pas tous ensemble au même âge ?

— On s'ennuierait, me fit-il remarquer, rien que des vieux ensemble, ou rien que des jeunes.

Il m'engagea à réfléchir à ceci :

— Ce qu'il y a de beau, c'est que tu vas avoir tout le temps qu'il faut pour aller voir et découvrir.

Et comme je ne bronchais toujours pas, perdue en d'étranges calculs d'âge et d'années, il me proposa :

— L'océan, par exemple, est-ce que tu n'auras pas envie d'aller le reconnaître ?

Alors je repris intérêt comme malgré moi :

— Sûr que je me rendrai à l'océan. C'est encore plus beau, l'océan ?

— Plus beau!... plus beau!... Non, pas nécessairement. Seulement plus vaste. Mais à un certain degré de vastitude...

Je l'interrompis pour reprendre derrière lui et m'en repaître ce beau mot que j'entendais pour la première fois : vastitude.

Le vieillard qui aimait me voir apprendre de ses mots me laissa le temps qu'il fallait pour bien m'entrer celui-là dans la tête avant de poursuivre :

— ... À un certain degré d'ampleur et de vastitude, l'œil humain ne distingue plus de différence. Ainsi nous pourrions très bien en ce moment être assis au bord de l'océan.

— Oh oui ! fis-je, emportée malgré moi dans le bonheur. Mais lequel ? L'océan Pacifique ? ou l'Atlantique ?

— Pourquoi pas les deux, fit-il, puisque au fond ils sont à peu près de même nature.

— Ah tiens, je ne savais pas !

— Ensuite, dit le vieillard, il te restera les montagnes Rocheuses. Est-ce que tu n'auras pas le goût d'aller les voir pour de vrai ?

— Sûr que j'irai pour de vrai.

— Et les belles villes de la terre ? Est-ce que tu n'auras pas envie de les visiter ?

Au bout d'un moment j'acquiesçai, un peu triste encore :

— Oui, j'irai visiter les belles villes de la terre. Et je songeai alors à lui demander : En avez-vous vu beaucoup, vous, des belles villes de la terre ?

Il plongea la vue au loin sur le lac comme si les belles villes se trouvaient peut-être sous l'eau, et me dit, un peu tristement :

— J'ai eu ma part, sais-tu. J'ai vu Paris, Londres, Amsterdam... et, tiens, une belle petite ville des plus charmantes, c'est Bruges, par exemple.

— Vous aimeriez y être encore ?

— Peut-être à Bruges...

— Vous n'irez plus ?

Il se secoua comme d'un rêve et dit :

— Non, je ne pense pas. Mes voyages sont faits.

Mais à présent il m'avait soulevée d'enthousiasme et je pensais à mes voyages à moi, que je ferais.

— J'irai un jour voir comment c'est, Bruges.

— Oh, tu aimeras beaucoup cela, me promit le vieillard. Et quand tu y seras, penseras-tu un peu que c'est moi qui t'aurai envoyée voir Bruges ?

— Oh oui, ai-je promis avec gaieté, j'y penserai, mais je fus attristée par la pensée de toutes ces années où il me faudrait attendre avant d'aller à Bruges.

— Pauvre petite enfant ! me dit le vieillard en plaçant sa main sur ma tête. Toi, tu voudrais déjà être partout. Tu avancerais la montre si c'était possible. Moi, je la retarderais. Sais-tu que nous faisons une drôle de paire.

Mais non, me semblait-il, nous ne faisions pas une drôle de paire. Nous faisions la meilleure paire, c'est tout. Pourtant, c'est peut-être en ce moment que j'entrevis le mieux qu'elle ne pouvait pas durer. Je me suis remise à scruter les traits du vieillard avec anxiété.

Alors, pour me distraire, il se prit à me raconter une sorte de merveilleuse histoire dont je pensai alors qu'elle était sans doute inventée.

— Car, quand tu auras fait le tour des choses, disait-il, que tu auras visité les villes et les monuments, les musées et les palais, quand tu auras vu les océans et les montagnes, sais-tu donc que tu auras envie de mieux encore ?

— Ah oui ?

— Oui, le cœur est ainsi fait que plus il en a et plus il lui en faut. Alors tu t'apercevras que tu n'es qu'au seuil de la vraie découverte, de la grande découverte.

Je cessai de tasser du sable pour le regarder attentivement.

— Qu'est-ce que c'est donc, la grande découverte ?

Comme s'il s'agissait aussi d'un pays à parcourir, il me dit que là-bas tout brillait d'une lumière particulière, que même les humbles choses ordinaires en étaient illuminées. Parce que, un seul être nous étant donné, c'était dès lors comme si on possédait le monde.

Il me semblait qu'il parlait de nous deux. Mais non, dit-il, il s'agissait de tout autre chose. Car le pays de l'amour était le plus vaste et le plus profond qui soit, nous menant d'un point à l'autre si loin, si loin, qu'on n'avait même plus souvenance de son point de départ.

De plus en plus ce pays me parut attirant.

— J'irai là aussi, dis-je. J'irai, puis j'y resterai. Je me promènerai partout dans ce beau pays.

Il me considéra alors longuement et curieusement, comme s'il voyait loin — mais comment aussi n'aurait-il pas vu loin, de tout temps ne m'avait-il pas paru savoir toutes choses ?

— Oui, je pense qu'en effet tu connaîtras bien ce pays.

Pourquoi donc, ensuite, eut-il l'air si las et comme dans la crainte de quelque chose qui pourrait m'arriver ? Moi, j'aurais pu l'entendre me parler du pays magique toute la journée, toute la nuit, toute une autre journée encore. Mais il se taisait à présent, trop fatigué.

Ainsi donc, il était parvenu à me distraire presque de la peine qu'il me faisait en étant un vieillard. Presque seulement, car, sa voix s'étant tue, j'entendis de nouveau la petite phrase du lac, et elle me parut plaintive et douce. Le ciel s'était davantage obscurci. Se pouvait-il qu'enfin on eût de la pluie ? Maman en serait contente pour ses fleurs. Maman, maman, ai-je songé à elle, le cœur trop plein d'émotions, comme à mon seul secours en fin de compte. Car, tout d'un coup, ces grandes choses que j'avais aujourd'hui apprises me fatiguaient et me faisaient souhaiter de n'être plus qu'une petite enfant. Mais cela serait-il seulement encore possible ? Il me semblait avoir dépassé aujourd'hui une frontière, une borne, être allée plus loin que je n'aurais dû. Et la petite phrase du lac continuait à me hanter. Adieu, adieu mes enfants, disait-elle peut-être. Comment le savoir ? Il m'avait paru que son langage changeait selon que je changeais moi-même de sentiment. Mais n'en changeais-je pas à cause du lac ?

— Si nous dormions un peu, me dit le vieillard. On n'en peut plus, tous les deux, et il faut pourtant reprendre des forces pour le voyage de retour. Ta mère ne sera pas contente si elle te voit revenir à bout. Elle dira peut-être que c'est de ma faute.

— C'est pas de ta faute.

— Oh peut-être quand même un peu de ma faute ! Pourtant, on n'était venu rien que pour se rafraîchir.

— Se ra-fraî-chir, fis-je en bâillant de fatigue.

— Approche-toi, me dit-il, mets ta tête sur mon épaule. Tu auras plus chaud.

Je fis comme il me disait et bâillai de nouveau. La petite phrase du lac me sembla venir de plus loin et se perdre un peu dans le vent qui s'élevait et nous entourait.

— De l'autre côté où c'est que tu as dit que vont les gens, demandai-je, à moitié endormie, est-ce que le lac y sera aussi ?

— Peut-être, sans doute, fit le vieillard somnolent.

— Mais tu as dit que le lac resterait pour l'éternité des temps…

— C'est juste. Les gens passent, les choses restent. Voudrais-tu donc qu'ils emportent avec eux ce qui est nécessaire aux autres pour continuer à vivre ?

J'aperçus un assez gros nuage sombre qui descendait en piqué sur nous. Un autre coup de vent passa, nous jeta du sable à la figure, et il emporta nos chapeaux de papier que je ne pus rattraper.

— Aimerais-tu mieux qu'on aille se mettre à l'abri ? me demanda le vieillard.

— Non, restons.

— Eh bien, restons.

Je luttai un moment encore pour tâcher de me définir ce que criait le lac maintenant qu'il commençait à s'agiter. Mais tout semblait se perdre en un beau fracas d'air et d'eau, cependant que baissait encore la lumière. Oh, que cet univers est donc étrange où nous devons vivre, petites créatures hantées par trop d'infini ! Après nous avoir inquiétés et tout le jour nous avoir fait nous poser mille questions, voici qu'avec son bruit d'eau et de vent, monotone à la longue, il nous poussait au sommeil. Seuls à présent sur cette longue plage, devant l'immensité, nous dormions, épaule contre épaule.

Quand le vieillard, le premier, s'éveilla, il faisait presque nuit. Vivement inquiet, il dut me secouer. Je l'entendais qui disait comme de loin : « Ah, mon Dieu, s'il fallait manquer le train ! Que dirait ta mère ? »

J'entendais : ta mère, ta mère, le train, le train, et ne savais pas où j'étais, qui me parlait, quel était à mes oreilles ce grand bruit d'eau un peu furieux. En me redressant, je fus immensément étonnée de me découvrir dans le sable, près de cette terrible masse sombre qui à quelques pas de nous s'agitait et grondait sourdement. Puis la mémoire me revenant, je songeai que j'avais aujourd'hui tous les bonheurs, puisque, après avoir vu le lac Winnipeg endormi de langueur, j'allais le voir à présent se soulever dans la tempête. Ses lames courtes se heurtaient, claquaient. Mais il restait peu de clarté, et au-delà d'une faible distance je n'apercevais qu'un bouillonnement sombre parsemé de petits éclairs blancs. Je tendais le regard, j'essayais de percer ces pans d'ombre pour découvrir si là-bas, au loin, sur les vagues irritées, ce n'étaient pas des petites mouettes des lacs qui se laissaient balancer, ravies du mauvais temps.

Mais le vieillard me pressait :

— Allons, as-tu ton petit sac ? Toutes tes affaires ? N'oublie rien et viens, viens vite. As-tu pensé dans quel état se trouverait ta mère si nous ne rentrions pas par le train ce soir?... Ta pauvre, pauvre mère!...

Comme il m'entraînait dans le sable où nous trébuchions et répétait toujours : ta pauvre, pauvre mère, cela finit par me poigner le cœur. Le vent sifflait, le sable cédait sous nos pas, les vagues se plaignaient et « ta pauvre mère » semblait mêler à tout cela comme un accablant et terrible reproche. Alors j'ai su, je suppose, qu'elle était pauvre, il est vrai, elle qui n'avait jamais vu le grand lac Winnipeg, ni l'océan, ni les montagnes Rocheuses, qu'elle avait tant désiré voir pourtant, nous en ayant parlé jusqu'à nous pousser à l'abandonner s'il le fallait, pour parcourir le monde. Je pense avoir aussi quelque peu compris qu'il ne suffit pas d'avoir la passion de partir pour pouvoir partir; qu'avec cette passion au cœur on peut quand même rester prisonnier toute sa vie dans une petite rue.

Dès lors, c'est moi qui activai la démarche du pauvre vieux, le tirant par la main et le harcelant avec mes « Vite, vite, les trains n'attendent pas. »

Nous avons dormi encore un peu dans le train. Au reste qu'y aurait-il eu à voir? Que l'ombre des petits arbres de la savane contre la vitre tels que je les ai vaguement aperçus une fois ou deux en entrouvrant les yeux. Que les volutes de la fumée du train qui venaient y dessiner comme de vieux visages plissés d'âge et d'angoisse. C'est peut-être tout ce que j'ai retenu au fond du voyage de retour. Mais que l'enfance enregistre donc de façon étrange, parfois jusqu'au moindre détail d'une seule journée, pour laisser cependant tout aussitôt lui échapper un grand morceau de temps. De l'oubli où il est tombé, obscur et impénétrable, il arrive toutefois que remonte parfois comme une lueur.

Enfin nous revenions par le tram, si brisés tous deux que nous n'avions même plus la force de nous parler. Nos têtes ballottaient l'une contre l'autre. Pourtant, un peu avant de quitter le tram, le vieillard s'aperçut que le ruban de mes cheveux s'était défait et pendait de travers. Il tenta de refaire la boucle, mais ses mains tremblaient. Et puis, me dit-il, il y avait si longtemps qu'il n'avait pas fait de boucle de ruban dans les cheveux d'une petite fille.

Nous descendîmes, et le vieillard me prit par la main pour me conduire jusqu'à ma porte. Comme il traînait les pieds, je proposai de nous séparer dès maintenant, pour rentrer chacun de son côté. Il ne me serait resté qu'un petit bout de rue, à peine sombre, à franchir seule. Mais le vieillard en fut offensé.

— Que j'abandonne une petite demoiselle au milieu de la rue ! Allons donc !

Du moins, c'est, je crois, ce qu'il dit, car pour en être sûre je ne le pouvais pas, tant maintenant le vieillard bafouillait. Ou est-ce moi qui étais devenue un peu sourde à cause de cette rumeur d'eau que j'avais toujours à l'oreille ? J'en parlai au vieillard qui me dit que c'était toujours ainsi quand on revenait d'une journée passée au bord d'une grande étendue d'eau, que l'on continuait à l'entendre comme un bourdonnement pendant deux ou trois jours parfois.

Mais, si nous avions si bien retenu le bruissement du lac, nous n'avions rien pu emporter de sa douce fraîcheur. Déjà nous étions en transpiration.

— On retombe dans notre étuve, fit le vieillard. C'est vraiment singulier : ici l'air n'a même pas changé. On dirait, on dirait que nous avons fait un rêve seulement.

Je voyais au-dessus de nous, dans la lueur des réverbères, les pauvres feuilles lourdes et lasses de chaleur. J'entendais nos semelles racler le trottoir. Le vieillard trébucha. Je me portai à son secours, mais à peine l'avais-je aidé à se redresser que je trébuchai à mon tour. Il tendit la main pour m'empêcher de tomber et tenta de rire, disant une fois encore que nous faisions une drôle de paire ; que c'était un peu le cas de l'aveugle aidant le sourd.

Mais son dentier glissait dans sa bouche et j'eus peine à comprendre cette histoire d'aveugle et de sourd.

Enfin nous étions devant la barrière où, disait-il, m'y ayant prise, il devait me ramener. Tout chancelant qu'il était, il prit le temps de soulever son chapeau des « îles » pour me saluer moi toute seule qui étais un peu dans l'ombre. Je me rappelle combien était visible et jolie cette tache blanche de son chapeau dans la nuit trop chaude. Je le retins un moment par la manche. Je suppose que je ne pouvais supporter de voir se terminer cette journée, de la voir disparaître comme d'autres dans cette sorte de fin que marque minuit. Il me semblait aussi avoir une dernière question importante à lui poser, qui avait trait à ce qui passe, à ce qui reste… et auquel se trouvait mêlé de quelque inexplicable façon le huard de caractère solitaire. Mais alors maman sortit de la maison et accourut vers nous en criant : « Les voilà, les voilà ! »

Elle nous regarda l'un et l'autre avec le même sentiment, de pitié peut-être, et aussi d'avidité. Alors la splendeur triste et étrange de tout ce que j'avais vu aujourd'hui s'engouffra en moi comme un chant impérissable que je ne cesserais peut-être jamais plus d'entendre quelque peu. Je me jetai dans les bras de maman. Je pleurais presque.

— Je l'ai vu, je l'ai vu, maman ! Le grand lac Winnipeg !

Le déménagement

I

Ai-je jamais envié quelqu'un autant que, vers l'âge de onze ans, une petite fille dont aujourd'hui je retiens à peine plus que le nom : Florence. Son père était déménageur. L'était-il de métier ? Je ne pense pas. Je pense qu'il était bricoleur, s'occupant à toutes sortes de tâches variées ; au temps des déplacements saisonniers — et il me semble qu'autrefois on changeait fréquemment de logis — il faisait des déménagements pour le compte de petites gens habitant près de chez nous et même très loin, en banlieue et dans des quartiers éloignés de Winnipeg. Sans doute sa grande charrette et ses chevaux, dont il n'avait pas voulu se défaire en venant s'installer de la campagne à la ville, avaient-ils fait de lui un déménageur.

Florence, le samedi, accompagnait son père dans ces voyages qui, au pas lent des chevaux, prenaient souvent la journée entière. Je l'enviais au point de ne plus avoir qu'une idée fixe : pourquoi mon père aussi n'était-il pas déménageur ? Quel plus beau métier pouvait-on exercer ?

Que représentait donc alors pour moi un déménagement ? Je n'en pouvais avoir aucune idée précise. J'étais née, j'avais grandi dans la belle et confortable maison que nous habitions toujours et que vraisemblablement nous ne quitterions pas. Pareille fixité me parut, cet été-là, d'une affreuse monotonie. Jamais en fait nous ne quittions vraiment cette grande maison.

Allions-nous pour quelque temps à la campagne, ne nous éloignions-nous que pour un jour, le problème surgissait : Oui, mais qui va garder la maison ?

Prendre ses meubles, ses effets, abandonner un lieu, fermer une porte pour toujours derrière soi, dire adieu à un endroit, c'était là une aventure dont j'ignorais tout ; et sans doute, à force d'essayer de me la représenter, devint-elle à mes yeux audacieuse, héroïque, infiniment grande.

— Est-ce que nous ne déménagerons donc jamais ? demandais-je à maman.

— Ah ! j'espère bien que non ! disait-elle. Par la grâce de Dieu et la longue patience de ton père, nous voilà solidement établis enfin. J'espère seulement que ce soit pour toujours.

Elle m'apprenait alors que pour elle aucun spectacle au monde ne pouvait être plus navrant, plus poignant même, que celui d'un déménagement.

— Pendant un temps, me disait-elle, on est comme apparenté aux nomades, à ces pauvres gens qui glissent pour ainsi dire à la surface de l'existence, nulle part ne plongeant leurs racines. On n'a plus de toit. Oui, vraiment, pendant quelques heures du moins, c'est comme si on était à la dérive, au fil de la vie.

Pauvre mère ! Ses objections, ses comparaisons ne faisaient que renforcer mon étrange nostalgie. Être à la dérive au fil de la vie ! Ressembler aux nomades ! Errer dans le monde ! Rien de tout cela qui ne me semblât félicité.

À défaut de pouvoir moi-même déménager, j'eusse voulu assister au moins au déménagement des autres. Voir de quoi il retournait. L'été venait. Mon déraisonnable désir croissait. Même maintenant, je ne peux en parler avec légèreté, encore moins avec dérision. Certains de nos désirs, comme s'ils nous devançaient dans la vie, ne méritent pas qu'on les raille.

Tous les samedis matin, j'allais rôder autour de la maison de

Florence. Son père — gros homme blond sale, en bleu de travail, toujours maugréant un peu et même, peut-être, sacrant — s'affairait à sortir de la remise l'impressionnante charrette. Les chevaux attelés et pourvus de leur musette d'avoine, le père et sa petite fille montaient s'asseoir sur le siège élevé ; le père prenait en main les rênes ; tous deux alors, il me semblait, me regardaient avec un peu de pitié, de vague commisération. Je me sentais délaissée, d'une espèce humaine inférieure et que dédaignent les fortes aventures.

Le père criait quelque chose à ses chevaux. L'équipage s'ébranlait. Je les voyais partir dans la petite brume fraîche du matin qui promet une si délicieuse émotion. J'agitais la main vers eux qui pourtant ne se retournaient jamais vers moi. Je criais : « Bon voyage ! » J'étais si malheureuse d'être laissée en arrière que j'en gardais tout le jour le regret allié à une curiosité torturante. Que verraient-ils aujourd'hui ? Où en étaient-ils à ce moment-ci ? Qu'est-ce qui se présentait à leurs yeux de voyageurs ? J'avais beau savoir qu'ils ne pouvaient aller somme toute qu'à des distances réduites, je m'imaginais ces deux-là voyant des choses que nul autre au monde ne voyait. Du haut de la charrette, comme le monde, pensais-je, devait se transformer au regard.

À la fin, mon désir de partir avec eux fut si fort et si constant que je me décidai à en demander à ma mère l'autorisation — bien que je fusse à peu près sûre de ne jamais l'obtenir. Elle tenait mes nouveaux amis en assez piètre estime ; et si elle tolérait que je fusse constamment autour d'eux, à renifler leur odeur de chevaux, d'aventure et de poussière, je savais en mon for intérieur que la seule idée que je pusse vouloir les accompagner la remplirait d'indignation.

À mes premières paroles en effet elle me cloua le bec :

— Es-tu donc folle ? Parcourir la ville dans une charrette de déménagement ! Te vois-tu, me demanda-t-elle, toute la journée au milieu de meubles, de caisses, de matelas entassés, et avec on ne sait trop quels gens ! Non, mais que peux-tu donc imaginer là d'agréable ?

Comme c'est étrange ! Cette idée même, par exemple, de me trouver entre des chaises empilées, des commodes aux tiroirs vidés, des portraits décrochés, c'est tout cet inédit qui stimulait justement mon désir.

— Ne me parle plus jamais de cette lubie, fit ma mère. C'est non, et ça restera non.

Le lendemain, j'allai auprès de Florence nourrir des quelques mots qu'elle pourrait me dire ma nostalgique envie de leur existence.

— Où êtes-vous allés hier ? Qui avez-vous déménagé ?

Florence, tout en mâchant de la gomme — toujours elle en mâchait ou suçait quelque bonbon — disait :

— Oh, je ne sais trop ! On est allé prendre à Fort Rouge, je pense, des gens pour les déménager au diable vauvert, du côté d'East Kildonan.

C'étaient là des noms de banlieue tout ordinaires. Comment se fait-il qu'à ces instants-là ils m'apparaissaient détenir l'attrait un peu poignant des endroits du monde reculés, mystérieux et difficiles à atteindre ?

— Qu'est-ce que vous avez vu ?

Florence faisait passer sa gomme à mâcher d'une joue à l'autre, me regardant avec des yeux un peu fous. Ce n'était pas une enfant imaginative. Sans doute, à elle et à son père le métier de celui-ci apparaissait-il banal, crasseux, harassant, et rien de plus semblable à un déménagement qu'un autre déménagement. Plus tard, je l'ai découvert, si Florence accompagnait son père tous les samedis, c'était uniquement parce que, sa mère étant ce jour-là occupée à faire des ménages, il ne se trouvait personne pour garder la petite fille à la maison. Donc, son père l'emmenait.

L'un et l'autre, du reste, le père et la fille, commençaient à me juger un peu folle de parer leur vie de tant de prestige.

Tant de fois j'avais demandé au gros homme blond fade s'il ne m'emmènerait pas moi aussi. Il me regardait un moment comme une curiosité — une enfant peut-être pas tout à fait normale — et disait : « Si ta mère le permet... » puis crachait par terre, remontait son large pantalon d'un mouvement de hanche, crachait de nouveau et s'en allait donner à manger à ses chevaux ou graisser les roues de la charrette.

La fin des déménagements approchait. En plein été brûlant, il ne s'en faisait plus guère ; seulement pour des gens évincés de leur logis, ou pour ceux qui devaient se rapprocher d'un nouvel emploi ; des cas rares. Si je ne réussis pas à voir bientôt ce qu'est un déménagement, pensai-je, je devrai attendre jusqu'à l'été prochain. Et qui sait, l'été prochain, je n'en aurai peut-être plus tellement le goût.

Or cette idée que je pourrais cesser de tant tenir à mon désir, au lieu de me rassurer m'inquiétait. Je commençais à percevoir que même nos désirs ne nous sont pas éternellement fidèles, qu'ils s'usent, meurent peut-être, sont remplacés, et cette vie précaire de nos désirs me les rendait plus touchants, plus amis. Je pensais d'eux que, si on ne les contente pas, ils doivent s'en aller quelque part périr d'ennui et de lassitude.

Ma mère, me voyant toujours occupée de ma « lubie », pensa peut-être m'en distraire en me racontant une fois encore les jolies histoires de sa propre enfance. Elle eut l'idée — oh combien singulière ! — de me raconter de nouveau ce récit du grand voyage à travers la plaine de toute sa famille, en chariot couvert. Au fond, ce devait être qu'elle-même revivait sans cesse cet émouvant voyage vers l'inconnu. En me le narrant, peut-être épuisait-elle en elle-même cette effarante nostalgie, quand on y pense, que dépose en nous la vie, quelle qu'elle soit.

Donc, la voici me redisant comment, tous entassés dans le chariot — grand-mère ayant emporté quelques-uns de ses meubles, son rouet en tout cas, et d'innombrables ballots — comment, serrés les uns contre les autres, ils s'en allaient à travers l'immense pays.

— La plaine alors, me disait-elle, paraissait encore plus immense qu'aujourd'hui, et le ciel aussi, plus immense ; car il n'y avait pour ainsi dire pas de village le long de la piste, et même très peu de maisons. En apercevoir une, tout au loin, à une grande distance, était déjà toute une aventure.

— Et que ressentais-tu ? demandais-je à ma mère.

— J'étais attirée, avouait maman, penchant un peu la tête, comme s'il y eût un peu de mal à cela, tout au moins trop d'étrangeté. Attirée par l'espace, le grand ciel nu, le moindre petit arbre qui se voyait à des milles en cette solitude. J'étais très attirée.

— Donc, tu étais heureuse !

— Heureuse ? Oui, je le pense. Heureuse sans comprendre pourquoi. Heureuse comme on l'est, quand on est jeune — et aussi moins jeune — par le simple fait d'être en route, que la vie change, va changer, que tout se renouvelle. C'est une curieuse chose, essaya-t-elle de me faire entendre ; on doit tenir ça de famille. Au fond, je me demande s'il y eut jamais gens aussi naturellement voyageurs que nous tous.

Et elle me promettait que je connaîtrais moi aussi plus tard ce que c'est que de partir, de chercher à la vie sans trêve un recommencement possible — que peut-être même je pourrais en devenir lasse.

Cette nuit m'éveilla l'intensité de mon désir. Je m'identifiai à ma mère, enfant, couchée, comme elle l'avait conté, dans le chariot, alors qu'elle regardait voyager au-dessus de sa tête les étoiles des Prairies — les plus lumineuses des hémisphères, disait-on.

Ça, pensai-je, je ne le connaîtrai pas ; c'est une vie dépassée, perdue — et le seul fait qu'il y eût des sortes de vie révolues, éteintes dans le passé, que de nos jours l'on ne pourrait plus reprendre, ce seul fait me remplissait, pour les années comme pour les désirs, de nostalgie. Mais il y avait, faute de mieux, le voyage possible avec nos voisins.

Je savais — je devinais plutôt — que, si l'on doit l'obéissance à nos parents, on la doit peut-être aussi à certains de nos désirs les plus étranges, trop vastes et lancinants.

Je restai éveillée. Le lendemain — ce jour même plutôt — était un samedi, jour de déménagement. J'avais résolu que je partirais avec les Pichette.

L'aube parut. Jusqu'ici l'avais-je vue véritablement ? Je remarquai qu'avant de devenir propre et resplendissant, le ciel se montra d'une couleur indécise, comme du linge mal lavé.

Maintenant le désir qui me poussait si fort, et jusqu'à la révolte, n'avait plus rien d'heureux, ni même de tentant, si j'ose dire. C'était bien plutôt comme un ordre. Une angoisse pesait sur mon cœur. Je n'étais même plus libre de me dire : « Dors, oublie tout ça. » Il me fallait partir.

Est-ce la même angoisse qui, si souvent depuis dans ma vie, m'a éveillée, m'éveille encore à l'aube avec le sentiment d'un départ imminent, triste parfois, parfois joyeux, mais presque toujours à destination inconnue ? Est-ce du même départ dont toujours il s'agit ?

Quand je jugeai le matin assez avancé, je me levai, peignai mes cheveux. Curieusement, pour cette promenade en charrette je choisis de mettre ma plus jolie robe. Je me disais : punie pour punie, autant l'être pour un bœuf. Je sortis sans bruit de la maison.

J'arrivai tôt chez le déménageur. Il bâillait en s'étirant les bras au jeune soleil sur le pas de la remise. Il me regarda avec suspicion :

— Tu as la permission ?

J'avalai rapidement ma salive, je fis signe que oui.

Peu après arriva Florence, l'air maussade et endormi. Elle se hissa auprès de nous sur le siège de la charrette.

— Hue ! Avance ! cria l'homme.

Et nous partîmes dans cette heure fraîche du matin qui m'avait promis la transformation du monde et des choses — et sans doute de moi.

II

Et d'abord le voyage tint sa promesse. Nous allions à travers une ville aux rues sonores et vides dans lesquelles nous roulions à grand fracas ; les maisons avaient toutes l'air de dormir encore, dans une curieuse et paisible atmosphère de recueillement ; jamais je n'avais vu à notre petite ville cet air absent, doux et résigné.

Le grand soleil naissant la blanchissait, la purifiait, il me semble. J'eus l'impression d'une ville absolument inconnue, lointaine et à découvrir. Et j'étais étonnée d'y reconnaître pourtant comme vaguement des immeubles, des clochers, des croisements de rues que j'avais dû voir quelque part ; mais comment cela aurait-il pu être, puisque, ce matin, j'avais quitté le monde connu, j'entrais dans le nouveau.

Bientôt commencèrent à circuler des tramways et quelques autos. De les voir surgir à l'horizon et s'approcher de nous me causa une vive sensation du décalage des époques. Que venaient faire ces trams et ces autos dans notre temps qui était celui de la charrette ? pensais-je avec plaisir. Quand nous atteignîmes Winnipeg et que l'on fut mêlé à une circulation assez grande déjà, mon impression d'étrangeté fut telle que je crus à un rêve, et j'en battis des mains.

Sans doute, même en ce temps-là, une charrette tirée par des chevaux était-elle chose rare en pleine ville. Tout à nos côtés allait donc très vite, très aisément. Nous, à notre allure encombrante et réfléchie, nous passions comme un lent film majestueux. Je suis le passé, je suis les temps anciens, me disais-je avec ferveur.

Des gens s'arrêtaient pour nous regarder passer. Moi aussi, je les regardais comme de très loin. Qu'y avait-il de commun entre nous et cette ville moderne, bruyante et agitée ? De plus en plus, du haut de la charrette, je devenais une survivante ; je me retenais pour ne pas me mettre à saluer la foule, les rues et la ville, comme des choses qui avaient beaucoup de chance de nous voir défiler.

Car je me dédoublais volontiers en deux personnes, acteur et témoin. De temps en temps, j'étais la foule qui voyait passer cette étonnante charrette du passé, puis j'étais le personnage qui, de haut, considérait à ses pieds ces temps d'aujourd'hui.

Cependant, les difficultés de mener des chevaux somme toute nerveux à travers pareil bruit et embarras énervaient prodigieusement le déménageur que j'aurais cru plus calme et assuré. Il n'arrêtait plus de maugréer ni même d'invectiver bruyamment contre presque tout ce qui se trouvait sur notre passage. Cela commença à me gêner. J'avais le sentiment qu'il gâtait par sa mauvaise humeur ce que notre apparition pour les pauvres gens de l'époque présente pouvait avoir de plaisant et de doucement incongru. J'aurais bien voulu me désolidariser d'avec lui. Mais comment faire, juchée à ses côtés ?

Enfin, nous prîmes par de petites rues plus tranquilles. Je vis alors que nous nous en allions en direction de Fort Garry.

— Est-ce par là que nous allons ?

— Oui, me répondit M. Pichette sans aucune bonne grâce. C'est là.

La chaleur devenait accablante. Sans aucun abri, coincée entre le gros homme et Florence qui ne s'efforçait aucunement de me faire une place commode, je commençais à en souffrir.

Enfin, au bout de quelques heures, nous arrivions presque à la campagne.

Les maisons s'alignaient encore en petites rues droites, mais très courtes, au-delà desquelles la plaine apparaissait comme un grand pays couché ; un pays étendu tellement de tout son long qu'on n'en pouvait sans doute jamais voir ni la fin ni le commencement. Mon cœur se remit à battre très fort.

Là commence le pays de plaine, me dis-je, là commence l'infinie plaine du Canada.

— Est-ce qu'on va entrer dans la vraie plaine? ai-je demandé. Ou est-on encore, malgré tout, dans les limites de la ville ?

— Tu es bien la petite fille la plus questionneuse que j'aie jamais vue de ma vie, bougonna M. Pichette, et il ne me renseigna pas du tout.

Les rues à présent n'étaient plus que de terre. Le vent y soulevait des tourbillons de poussière. Les maisons s'espaçaient, devenaient de plus en plus petites. Cela finit par n'être plus que des espèces de cabanes mal bâties, faites de matériaux divers : un peu de fer-blanc, des planches, les unes peintes, d'autres de bois brut ; et tout me parut avoir été élevé pendant la nuit pour être démoli le lendemain. Cependant, encore inachevées, ces petites maisons paraissaient quand même vieilles. Devant l'une d'elles on s'arrêta.

Les gens avaient commencé d'empiler leurs effets, dehors et à l'intérieur, en des caisses de carton ou jetés pêle-mêle dans des couvertures dont les bouts noués en faisaient des sortes de ballots. Mais ils n'étaient pas encore très avancés au gré de M. Pichette, qui en entrant fit une colère.

— On ne prend que cinq dollars, dit-il, pour déménager les gens. Et ils ne sont pas même prêts quand on arrive.

Tous ensemble nous nous sommes mis à transporter des effets de la cabane à la charrette. J'y pris intérêt, portant moi-même maints petits objets qui me tombèrent sous la main : des casseroles avec leurs couvercles dépareillés, une marmite, un pot à eau ébréché. Je cherchais, je pense, à m'étourdir, à retenir à tout prix ce qui me restait de dispositions heureuses. Car, au fond, j'avais commencé à voir que l'aventure tournait au sordide. Cette pauvre femme à l'air exténué, les cheveux plaqués au visage, ces enfants malingres, le mari — un homme aussi peu aimable que M. Pichette — je découvrais là des gens voués à une existence dont je ne connaissais rien, effroyablement grise, et qui me paraissait pour ainsi dire sans issue. J'essayai donc de les aider tant que je pouvais, et me mis en devoir de transporter seule d'assez gros objets. À la fin, on me dit de me tenir tranquille, parce que je gênais tout le monde.

J'allai rejoindre Florence assise à quelque distance sur une petite clôture en bois.

— C'est toujours comme cela ? demandai-je.

— Oui, comme cela — ou pire.

— Cela peut être pire ?

— Bien pire. Eux, dit-elle, ils ont des lits, des commodes...

Puis elle refusa de m'éclairer davantage.

— J'ai faim, décida-t-elle tout à coup, et elle courut déballer une petite boîte à lunch, en sortit du pain beurré, une pomme, et se mit à manger à mon nez.

— T'as rien apporté à manger ? me demanda-t-elle.

— Non.

— T'aurais dû, fit-elle, et elle continua à mordre à pleines dents dans son pain sans m'en offrir une miette.

Je regardais les hommes sortir des matelas défraîchis qu'ils portaient à bout de bras. Des matelas tout neufs, ce n'est pas encore trop affligeant à voir ; mais le moindrement usé ou sali, je me demande s'il y a un objet de maison plus répugnant. Ensuite, sur leurs épaules, les hommes apportèrent dehors un vieux sofa crevé, des montants de lit, des ressorts. J'essayai de fouetter mon enthousiasme, d'en faire renaître quelques flammes. Et c'est alors, je pense, que j'eus pour me consoler cette idée : on est venu arracher ces gens à cette misérable vie ; on va les conduire à présent vers quelque chose de mieux ; on va leur trouver une bonne maison propre.

Un petit chien tournait autour de nous, pleurant, affamé, peut-être inquiet. Pour lui encore plus que pour moi, j'aurais voulu soustraire à Florence quelques morceaux de son casse-croûte.

— Tu ne lui donnes pas un petit morceau ? dis-je.

Florence se dépêcha d'avaler une grosse bouchée.

— Qu'il s'en cherche, dit-elle.

La charrette était pleine à présent et, à côté, par terre, il restait presque autant de vieilleries à caser.

Je commençai à souffrir pour les chevaux qui auraient tout cela à tirer.

La maison fut vidée complètement, sauf de morceaux de vaisselle cassée et de loques absolument inutilisables. La femme sortit la dernière. C'était le moment que j'avais imaginé dramatique, presque historique, marqué sans doute par quelque geste ou parole mémorable. Mais cette pauvre créature lasse et couverte de poussière n'eut apparemment aucun regret de franchir son seuil, de quitter deux, trois ou quatre années peut-être de sa vie.

Elle dit simplement :

— Allons, dépêchons-nous, si on veut rentrer dans notre nouveau logement avant la nuit.

Elle monta sur le siège de la charrette avec un des plus jeunes enfants, qu'elle prit sur ses genoux. Les autres partiraient avec le père, à pied un petit bout, ensuite en tramway, pour nous devancer, fut-il dit, là où nous allions.

Florence et moi devions nous tenir debout parmi les meubles entassés à l'arrière.

L'énorme charrette avait à présent tout l'air d'un monstre avec des cuves et des seaux ballottant sur les côtés, des chaises les pieds en l'air, de gros paquets ventrus débordant par le haut et par le bas.

Les chevaux tirèrent un bon coup. On partit. Alors le petit chien se mit à courir derrière nous, pleurant si fort de crainte, de désespoir, que je criai, comme si personne n'y avait pensé :

— Le petit chien ! On l'oublie ! Arrêtez. Attendons le petit chien.

Devant l'indifférence de tout le monde, je demandai à la femme — c'était une Mrs. Smith :

— N'est-ce pas à vous ?

— C'était à nous, oui, je suppose, répondit-elle.

— Il s'en vient, attendons-le, ai-je supplié.

— Ne trouves-tu pas qu'on est assez chargé ? me décocha le déménageur sur un ton sec, et il fouetta ses chevaux.

Un long moment encore, le petit chien courut derrière nous.

Ce n'était pas un petit chien fait pour courir ; il avait les pattes trop courtes et arquées. Mais il faisait de son mieux. Ah oui ! il faisait de son mieux !

Va-t-il essayer de nous suivre à travers toute la ville ? ai-je pensé dans l'effroi. Maladroit, distrait et affligé comme il est, sûrement il se fera écraser par une auto ou un tram. Je ne sais pas ce que je redoutais le plus : le voir s'en retourner seul vers la petite maison déserte, ou entreprendre malgré tout la traversée de la ville. Déjà, nous entrions dans une rue que sillonnaient des rails. Au loin s'en venait un tram ; quelques autos nous doublèrent en klaxonnant.

Alors, Mrs. Smith se pencha hors du siège de la charrette. Elle cria au petit chien :

— Va-t'en.

Puis elle reprit plus fort : « Va-t'en, Sans-Génie. »

Ainsi il avait donc un nom, tout au moins un sobriquet. Et quand même on l'abandonnait !

Frappé de stupeur, le petit chien s'arrêta, hésita un moment, puis se coucha sur la terre, les yeux tournés vers nous, nous voyant disparaître et pleurant de peur au seuil de la grande ville.

Et peu après, je fus contente — comprenez-moi — de ne plus l'avoir sous les yeux.

III

J'ai toujours pensé du cœur humain qu'il est un peu comme la mer, sujet aux marées, que la joie y monte en un flux progressif avec son chant de vagues, de bonheur, de félicité ; mais qu'ensuite, lorsque se retire la haute mer, elle laisse apparaître à nos yeux une désolation infinie. Ainsi en fut-il ce jour-là de moi.

Nous avions retraversé presque toute l'énorme ville — peut-être moins énorme qu'éparse, bizarrement, largement répandue. L'ardeur du jour diminuait. Je pense même que le soleil était prêt à disparaître. Notre monstrueuse charrette, comme quelque pauvre bête infirme, plongeait vers les quartiers malcommodes, décousus et lointains, au bout de la ville et tout à l'opposé de celui dont nous venions.

Florence, pour tromper son ennui, s'amusait à ouvrir des tiroirs d'une vieille commode, à plonger la main dans le fouillis qui s'y trouvait — tout à l'image, il me semble avoir pensé, de cette journée — bouts de ruban décolorés, vieilles cartes postales au dos desquelles un jour on a écrit : « Temps splendide. Bons baisers et amitiés », aigrette de chapeau, comptes d'électricité, rappels du gaz, petite bottine d'enfant. Elle ramenait des poignées de ces choses, les examinait, lisait, riait, l'affreuse petite fille ! À un moment, sentant que je la désapprouvais, elle me regarda qui la regardais fouiller, puis de dépit me fit un pied de nez.

Le jour baissa davantage. De nouveau, nous nous trouvions dans de petites rues tristes, sans arbres, tellement pareilles à celle où nous avions été prendre les Smith qu'il me semblait avoir fait tout ce voyage pour rien. N'allions-nous pas en fin de compte aboutir à la cabane même dont j'avais espéré les tirer ?

Au bout de chacune de ces petites rues apparaissait de nouveau la plaine infinie, mais presque sombre à présent, tout juste encore, au ras de l'horizon, teintée de rouge violent, l'immense plaine songeuse et triste.

Enfin, nous étions arrivés.

Contre ce rouge de l'horizon se détacha en noir une petite maison esseulée, assez loin de ses voisines, une petite maison sans fondation, posée sur le sol. Elle ne me parut pas vieille, mais elle était déjà toute remplie de l'odeur, et sans doute des vieilleries et des guenilles, des gens qui venaient de la quitter. Cependant, ils n'avaient pas laissé en place une seule ampoule électrique.

Dans la pénombre, Mrs. Smith se mit en se lamentant à en chercher dans ses ballots, ne se rappelant plus du tout où elle en avait si soigneusement serré deux ou trois, disait-elle. Son mari, arrivé peu avant nous, énervé par l'obscurité et la maladresse de sa femme, se mit à la traiter de négligente. Les enfants avaient faim ; ils commencèrent de pleurer avec des voix geignardes, apeurées, sur un ton ennuyeux qui me rappela les pleurs du petit chien abandonné. L'homme et la femme distribuèrent quelques taloches, un peu au hasard, il me semble. Enfin on trouva une ampoule. Une clarté jaillit, timide et comme honteuse d'avoir à éclairer un si triste recommencement. Un des enfants, torturé par je ne sais quelle étrange préférence, se mit à supplier :

— Retournons chez nous. Ce n'est pas ici chez nous. Oh, allons-nous-en chez nous !

Bravement, malgré tout, Mrs. Smith ayant, tout en cherchant les ampoules, mis la main sur un sac de farine, un poêlon et des œufs, se prit maintenant à faire à manger pour les siens. C'est cela, je pense, qui m'attrista le plus : cette pauvre femme, au milieu d'un désordre complet et presque dans le noir, commençant à faire sauter des crêpes. Elle m'en offrit. J'en mangeai quelques-unes car j'avais maintenant très faim. À ce moment-là, je crois qu'elle regretta d'avoir abandonné le petit chien. Ce fut la seule petite éclaircie de cette fin de journée si terrible.

Pendant ce temps, M. Pichette, avec une hâte bougonne d'en finir, achevait de vider la charrette. Dès que tout eut été posé sur le sol, devant la porte, il s'en vint dire à Mr. Smith :

— C'est cinq dollars.

— Mais vous deviez m'aider à tout entrer, dit Mr. Smith.

— Jamais de la vie. Ce que j'avais à faire est fait.

Le pauvre Mr. Smith fouilla dans sa poche, en sortit cinq dollars en divers billets et petite monnaie qu'il tendit au déménageur.

L'autre compta l'argent à la faible lueur qui venait de la maison et dit :

— C'est ça, le compte y est.

Dans cette petite lueur qui venait de la maison, j'aperçus combien nos pauvres chevaux aussi étaient las. Ils clignotaient des yeux, l'air perdu pour avoir fait trop de déménagements sans doute. Les chevaux aimeraient peut-être faire et refaire toujours le même parcours — ainsi ne se sentiraient-ils pas trop éloignés de leurs habitudes. Mais, toujours lancés par des routes nouvelles, vers une destination inconnue, ils doivent en être déconcertés et abattus. J'eus le temps, en me hâtant, d'aller leur chercher à chacun une poignée d'herbe tendre au bout de la petite rue, au commencement de l'immense plaine songeuse.

Qu'aurions-nous eu à nous dire au retour ? Rien, bien sûr, et ainsi nous ne nous dîmes rien. C'était la nuit complète, très noire, triste et impénétrable, quand nous approchâmes enfin de la vieille remise qui, plus encore que la caverne d'Aladin, m'avait paru contenir de sortilèges et de grâce.

Le déménageur me tendit tout de même la main pour m'aider à descendre de la charrette. Il était de cette sorte de gens — du moins l'ai-je ainsi jugé alors — qui, après s'être montré toute une journée bourru et détestable, cherche peut-être à la dernière minute à réparer d'un bon mot la mauvaise impression créée. Mais il était trop tard, beaucoup trop tard.

— Tu n'es pas trop fatiguée ? me demanda-t-il, je pense.

Je branlai la tête et, après un rapide bonsoir, un merci récalcitrant, je m'enfuis. Je courais vers ma maison sur le trottoir qui, dans tout ce silence, résonnait longuement sous mes pas.

Je ne crois pas que je songeai à me réjouir de ce que j'allais retrouver une vie, si modeste fût-elle, à mille lieues de celle des Smith et des Pichette. Et je ne m'étais pas encore rendu compte que tout ce côté usé, terne et impitoyable de la vie que m'avait aujourd'hui révélé le déménagement, plus que jamais allait gonfler ma frénésie d'évasion.

Non, je ne pensais qu'à l'inquiétude de ma mère, à ma hâte de la retrouver, de me faire pardonner — et peut-être de lui pardonner à elle quelque grand tort mystérieux dont je ne comprenais pourtant pas le sens.

Elle était en effet dans un tel état de tension nerveuse — quoique ayant appris par des voisins que j'étais partie tôt avec le déménageur — qu'en me voyant, c'est sa colère qui prit le dessus. Elle leva même la main comme pour me frapper. Certes, je ne songeai pas à esquiver la punition. J'en avais peut-être même le désir. Mais, à ce moment, je ne sais quelle détresse de désillusion s'empara de moi — ce terrible affaissement du cœur après qu'il a été gonflé comme un ballon. Je regardai ma mère, et lui criai :

— Ah pourquoi aussi as-tu cent fois dit que du siège du

chariot, autrefois, dans la plaine, le monde paraissait neuf, beau et si pur ?

Elle me regardait, étonnée.

— Ah, c'est donc cela ! dit-elle.

Et tout à coup, à ma profonde surprise, elle m'attira à elle, me fit un berceau de ses bras. Elle disait :

— Toi aussi donc ! Toi aussi tu aurais cette maladie de famille, ce mal du départ. Quelle fatalité !

Puis cachant mon visage contre sa poitrine, elle se mit à me chantonner une sorte de chanson plaintive, sans mélodie et presque sans paroles :

— Pauvre de toi, disait-elle. Qu'adviendra-t-il de toi, pauvre, pauvre de toi !

La route d'Altamont

I

Un jour que par un beau temps de soleil nous voyagions à travers la plaine, ma mère et moi qui conduisais la petite auto, et que nous avions vu depuis des heures déjà défiler sous nos yeux un peu lassés les grands horizons toujours plats, j'entendis maman près de moi se plaindre avec douceur :

— Dans toute cette plaine immense, comment se fait-il, Christine, que Dieu n'a pas songé à mettre au moins quelques petites collines ?

De celles où elle était née dans la vieille province de Québec, elle nous avait depuis ces dernières années beaucoup parlé : une sévère montagnette, des pics, des *crans* prolongés par des épicéas, une troupe presque hostile qui gardait le petit pays pauvre. Rien là à tant regretter. Pourtant de ce paysage laissé en arrière à l'origine de notre famille, il fut grandement question toujours, comme si persistait entre nous et les collines abandonnées une sorte de relation mystérieuse, troublante, jamais tirée au clair... Tout ce que j'en savais était peu de chose : un jour, grand-père avait aperçu en imagination — à cause des collines fermées peut-être ? — une immense plaine ouverte ; sur-le-champ il avait été prêt à partir ; tel il était. Grand-mère, elle, aussi stable que ses collines, avait longtemps résisté. En fin de compte elle avait été vaincue. C'est presque toujours, dans une famille, le rêveur qui l'emporte. Voilà donc ce que je comprenais au sujet des collines perdues. Et ce jour-ci encore, sans savoir qu'ainsi je peinais maman, je lui dis :

— Allons, vieille mère, tes collines étaient comme toutes les collines. C'est ton imagination qui a brodé sur tes souvenirs d'enfance et te les présente aujourd'hui si attirantes. Les reverrais-tu que tu serais déçue.

— Ah non, dit maman, toujours irritée lorsqu'on cherchait à lui diminuer ses petites collines perdues de vue depuis près de soixante ans ; et elle nia absolument que sa splendide imagination eût pu retoucher le contour fané en son souvenir d'un si lointain paysage.

Et voici qu'elle m'en parlait de nouveau comme nous traversions le pays le plus plat du monde, cette vaste plaine du sud du Manitoba, si nue qu'on y voit longtemps un seul arbre solitaire, que les moindres choses apparaissant de loin à sa surface prennent une valeur singulière, pathétique... Même le vol d'un oiseau suspendu en tant d'espace ici serre le cœur.

— Imagine-toi, dit maman, que tout soit tout à coup bouleversé ; l'on verrait des éboulis, une masse de rocs chauves, d'autres recouverts d'un peu de mousse ; ensuite viendraient de petites collines boisées, et leurs replis seraient bien ce qu'il y a de plus curieux au monde. On avance, Christine, pour découvrir ce qu'il peut y avoir entre elles ; mais, de nouveau, les escarpements s'entrouvrent ; on est contraint d'explorer un autre repli ; on est toujours en haleine...

— Oui, peut-être, lui dis-je.

Moi, j'aimais passionnément nos plaines ouvertes ; je ne pensais pas avoir de patience pour ces petits pays fermés qui nous tirent en avant de ruse en ruse. Cette absence de secret, c'était sans doute ce qui me ravissait le plus dans la plaine, ce noble visage à découvert ou, si l'on veut, tout l'infini en lui reflété, lui-même plus secret que tout autre. Je ne concevais pas, entre moi et ce rappel de l'énigme entière, ni collines, ni accident passager contre lequel eût pu buter mon regard. Il me semblait qu'eût été contrarié, diminué, l'appel imprécis mais puissant que mon être en recevait vers mille possibilités du destin.

— Ah, tu ne comprends pas, fit maman. C'est la hauteur inattendue, quand on l'atteint, qui justement donne du prix à tout le reste.

Mais elle parut avoir oublié son vieux désir retrouvé un instant si jeune, si lancinant. Nous étions en septembre, par une de ces belles journées chaudes encore, mais le regard résigné et un peu gris du ciel, mais la terre dépouillée leur prêtent je ne sais quelle douceur triste, proche de notre cœur — ce sont des jours abandonnés, qui ne sont plus de l'été, ni encore à l'hiver — et ma mère se mit à regarder intensément autour d'elle.

Au fond, elle était bien trop vivante encore, trop amoureuse de la vie, pour préférer le temps fixé dans la mémoire à celui qui s'en va justement s'y perdre comme un affluent dans la mer. Elle convint avec moi que la couleur uniformément dorée des pailles rasées, que l'uniforme gris-bleu du ciel composaient une grave beauté, quoique peut-être trop constante pour les besoins du cœur. Mais quel beau temps pour voyager ! me dit-elle. Oui, l'automne convenait admirablement aux voyages, à tous les voyages...

Alors que je la croyais revenue de son regret, je l'entendis soupirer.

— Cela manque d'arbres, toutefois, par ici, et d'eau. Dans mes petites collines, Christine, les essences emmêlées, les peupliers-trembles, les bouleaux, les érables de montagne — oh ! nos érables à sucre si rouges à l'automne ! — les hêtres aussi flambaient de couleur. En bas, d'anse en anse, se déroulait, en captant les couleurs, notre petite rivière Assomption.

Malgré tout, j'étais étonnée de voir maman passer par-dessus son existence d'adulte, au Manitoba, pour aller au plus loin de sa vie chercher ces images hier inconnues de moi et qui semblaient à présent lui plaire plus que tout. Peut-être même en fus-je un peu vexée.

Nous arrivions alors à un croisement de routes, et je pensai à autre chose, je réfléchis un moment; ou peut-être, au contraire, n'ai-je pas du tout réfléchi. Aujourd'hui encore, sur cette journée s'étend comme une légère brume, et je suis toujours incapable de revoir clairement ce qui nous arriva lorsque j'atteignis cet embranchement solitaire.

II

Connaissez-vous les petites routes rectilignes, inflexibles, qui sillonnent la Prairie canadienne et en font un immense quadrillage au-dessus duquel le ciel pensif a l'air de méditer depuis longtemps quelle pièce du jeu il déplacera, si jamais il se décide. On peut s'y perdre, on s'y perd souvent. Ce que j'avais devant moi, c'étaient, à la fois se rejoignant et se quittant, étendues à plat dans les herbes comme les bras d'une croix démesurée, deux petites routes de terre absolument identiques, taciturnes, sans indication, taciturnes autant que le ciel, autant que la campagne silencieuse tout autour qui ne recueillait que le bruissement des herbes et, de temps à autre, le trille lointain d'un oiseau invisible.

Avais-je complètement oublié les indications données au départ par mon oncle : tourner à gauche, puis à droite, puis à gauche ? Je vous le dis, ces routes composent comme une sorte de vaste jeu troublant et, si on s'y trompe une seule fois, l'erreur va ensuite se multipliant à l'infini. Mais peut-être était-ce cela même que je souhaitais. À cet embranchement solitaire, est-ce que je ne fus pas fascinée au point de ne plus vouloir rien décider par moi-même — les routes inconnues m'ayant toujours attirée autant que certains visages anonymes aperçus au milieu de la foule. Je m'engageai, je pense, au hasard — pourtant est-ce le hasard qui fit ce jour-là des choses si prodigieuses ? — je m'engageai dans celle des deux routes qui me parut la plus complètement étrangère. Cependant les deux me l'étaient, au fond. Se peut-il que l'une, pourtant si pareille à l'autre, m'eût fait comme une sorte de signe intelligible ?

Nous n'avions pas été plus d'un quart d'heure à filer sur cette petite route étroite, toujours à plat dans les champs, qu'elle se croisa avec une autre de ses pareilles venant du lointain. De nouveau, il me semble, je refusai de choisir, me laissai guider par le caprice ou l'intuition, ceci en tout cas auquel nous préférons parfois nous en remettre plutôt qu'à notre seul jugement.

Maintenant nous étions égarées, aucun doute là-dessus. Dès lors, en rebroussant chemin, eussé-je seulement pu refaire mon trajet capricieux ? Autant donc continuer en avant. C'est ce que je fis, animée, je pense, d'un secret délice à nous voir perdues en cette immense plaine sans cachette pourtant.

Ces petites routes que j'avais prises pour gagner du temps et rejoindre la nationale par raccourci, ces petites routes au fond du pays, nous les appelions : routes de sections, et nulles ne semblaient comme elles mener plus loin et nulle part. De ces petites routes coupant les arrière-pays en mille carrés, au loin en des solitudes inimaginables, de ces petites routes pleines d'ennui, aujourd'hui encore je m'ennuie. Je revois, sous le ciel énigmatique, leur rencontre silencieuse ; tout juste le vent jouant avec elles leur enlève-t-il un peu de terre qu'il fait tourner en lasso ; je me rappelle leur accolade muette, leur étonnement à se rencontrer, à repartir déjà et vers quel but ? car d'où elles viennent, où elles vont, jamais elles n'en disent mot. Quand j'étais jeune, il me paraissait qu'elles n'existaient pour aucunes fins pratiques, seulement pour l'exaltation étrange de l'âme à jouer avec elles quelque jeu puéril et fascinant.

Donc, je continuai au hasard. Il le fallait bien au reste : à qui dans ce pays enseveli demander notre route ? Depuis plus d'une heure nous n'y avions même pas vu, perdu dans l'éloignement, quelque toit de grange. Il n'y avait même pas l'électricité à travers cette contrée sauvage. Je fus heureuse un instant comme rarement je l'ai été dans ma vie.

À quoi tenait ce bonheur ? Je n'en sais trop rien encore. Sans doute s'agissait-il de confiance, de confiance illimitée en un avenir lui-même comme illimité. Alors que ma mère pour ses joies devait retourner au passé, les miennes étaient toutes en avant, presque toutes intactes encore, et n'est-il pas merveilleux, cet instant où tout ce qu'il y a à prendre en cette vie apparaît intact à l'horizon, à travers les charmes et les sortilèges de l'inconnu ?

Maman s'était à moitié endormie. Sa tête ballottait un peu. De temps en temps elle entrouvrait les yeux ; et sans doute devait-elle lutter contre sa fatigue avec cette peur étrange que je lui ai connue sa vie durant, si elle se reposait une minute, si elle s'endormait un instant, de manquer justement ce qu'il pouvait survenir de meilleur, de plus intéressant. La chaleur, la monotonie du paysage abattaient malgré elle sa curiosité. Sa tête de nouveau retomba, ses paupières battirent lourdement et, comme elles glissaient sur ses yeux, j'entrevis dans leur regard une lassitude du corps si envahissante que bientôt peut-être ni l'ardeur de maman ni sa joie de vivre n'en pourraient plus avoir raison. Et je me rappelle avoir pour ainsi dire décidé : « Il ne faudrait pas trop tarder à donner de la joie à maman ; elle ne pourra peut-être plus l'attendre longtemps encore. » En ce temps-là j'imaginais qu'il est assez facile, somme toute, de rendre quelqu'un joyeux ; qu'un mot tendre, une caresse, un sourire peuvent suffire. J'imaginais qu'il est en notre pouvoir de rendre les âmes heureuses, ne sachant pas encore que des désirs tragiques de perfection hantent certaines jusqu'à la fin ; ou alors de ces trop simples désirs si purs que la meilleure volonté du monde ne saurait pourtant satisfaire.

Peut-être en ai-je un peu voulu à ma mère de souhaiter autre chose que ce que je croyais bon de souhaiter pour elle. À dire vrai, je m'étonnais que, vieille et parfois lasse, maman abritât encore des désirs qui me paraissaient être ceux de la jeunesse. Je me disais : ou l'on est jeune, et c'est le temps de s'élancer en avant pour connaître le monde; ou l'on est vieux, et c'est le temps de se reposer.

Cent fois par jour, je disais donc à maman :

— Reposez-vous. N'en avez-vous pas assez fait? C'est le temps de vous reposer.

Elle, alors, comme si je l'eusse insultée, répondait :

— Me reposer! Il en sera bien assez vite le temps, va!

Puis elle devenait songeuse et me disait :

— Sais-tu que j'ai dit cette même chose cent fois à ma propre mère, quand il m'a semblé qu'elle devenait vieille : Reposez-vous, lui ai-je dit, et c'est maintenant seulement que je sais à quel point j'ai dû l'agacer.

Cette petite route prise au hasard depuis quelque temps paraissait monter, sans effort visible, par légères pentes très douces sans doute. Pourtant le moteur s'essoufflait un peu et, si cela n'eût pas suffi à me l'indiquer, à l'air plus sec, plus enivrant, j'aurais reconnu que nous prenions de l'altitude, sensible comme je l'ai toujours été aux moindres variations atmosphériques. Les yeux clos, je reconnaîtrais, à la première aspiration, je pense, l'air de la mer, l'air de la plaine aussi, et certainement celui des hauts plateaux à cause de la légèreté gracieuse qu'il me communique, comme si, en montant, je jetais du poids — ou des fautes.

Alors, comme nous nous élevions toujours, il me sembla voir, étirée contre le ciel, une lointaine chaîne de petites collines bleues, à moitié transparentes.

J'étais habituée aux mirages de la plaine, et c'était l'heure où ils surgissent, extraordinaires, ou tout à fait raisonnables : parfois de grands espaces d'eau miroitante, des lacs salés, lourds et sans vie — souvent la mer Morte elle-même apparaît chez nous, au ras de l'horizon; parfois des villages fantômes autour de leurs élévateurs à blé. Et, une fois, dans mon enfance, une cité entière pour moi seule sortit un jour de terre, au bout de la plaine, une étrange cité avec des coupoles.

Ce sont là des nuages, me dis-je, rien de plus, et pourtant je poussai en avant comme pour atteindre avant qu'elles ne se fussent effacées ces petites collines pleines de douceur.

Mais elles ne se dissolvaient pas comme une illusion, tôt ou tard. Après avoir reposé mon regard ailleurs, lorsque j'y ramenai les yeux, je les retrouvai encore et encore. Elles me semblaient se mieux préciser, grandir et peut-être même embellir. Puis — ai-je rêvé tout cela ? en tant de choses de nos vies persiste un élément imprécis, inexplicable, qui nous fait douter de leur réalité — la plaine, depuis le commencement des âges aplanie et soumise, parut se révolter. D'abord elle éclata en boursouflures, en crevasses, en fentes érodées ; des cailloux crevèrent sa surface ; puis celle-ci s'ouvrit plus profondément, des crêtes en jaillirent, elles prirent de la hauteur, elles accoururent de toutes parts, comme si, délivré de sa pesante immobilité, le pays se mettait en mouvement, venait en vagues vers moi autant que moi-même j'allais vers lui. Enfin, il n'y eut plus de doute possible : de petites collines se formèrent de chaque côté de nous ; elles nous accompagnèrent à une certaine distance, puis tout à coup se rapprochèrent, et en elles nous fûmes complètement enfermées.

À présent, du reste, la petite route grimpait visiblement, sans feinte, avec une sorte d'allégresse, par petits bonds joyeux, par à-coups comme un jeune chien qui tire sur sa laisse ; et je devais changer de vitesse en pleine côte. De temps en temps, en passant, une voix liquide, quelque écoulement d'eau sur le roc, frappait mon oreille.

« Ah, maman a raison, ai-je pensé, les collines sont exaltantes, jouant avec nous un jeu d'attente, de surprise, nous tenant vraiment en suspens. »

Et bientôt, telles que ma mère les désirait, elles se présentèrent couvertes d'arbustes secs, de petits arbres mal assurés sur un versant penché, mais réchauffés par le soleil, traversés d'ardente lumière, et leurs feuillages aux tons lumineux frémissaient dans l'air ensoleillé. Tout cela, les pans de roc roussi, des baies rouges aux branches grêles, les feuilles écarlates jonchant le sous-bois, tout cela formait un adorable petit fouillis presque mort, et cependant quel cri vivant s'en échappait !

Alors, brusquement, ma mère s'éveilla.

Avait-elle été avertie dans son sommeil que les collines étaient retrouvées ? En tout cas, au plus beau du paysage, elle ouvrit les yeux, comme je me proposais justement de la tirer par la manche en lui disant : « Regarde, mais regarde donc ce qui t'arrive, *mamatchka* ! »

D'abord elle parut livrée à un profond égarement. Se crut-elle transportée dans le paysage de son enfance, revenue à son point de départ, et ainsi toute sa longue vie serait à refaire ? Ou bien lui parut-il que le paysage se jouait de ses désirs en lui proposant une illusion seulement ?

Mais je la connaissais mal encore. Au fond, bien plus prompte que moi à la foi, au réel, maman saisit aussitôt la simple, l'adorable vérité.

— Christine, te rends-tu compte ! Nous sommes dans la montagne Pembina. Tu sais bien, cette unique chaîne de montagnes du sud du Manitoba ! Toujours j'ai désiré y entrer. Ton oncle m'assurait qu'aucune route ne la pénétrait. Mais il y en a une, il y en a une ! Et c'est toi, chère enfant, qui l'as découverte !

Sa joie, ce jour-là, comment oserais-je y toucher, la démonter pour en saisir le secret profond ! Toute joie est si mystérieuse, c'est devant elle que je connais le mieux la maladresse des mots, l'impiété de vouloir toujours analyser, surprendre en lui-même le cœur humain.

Et puis, tout se passa en un tel silence entre maman et les petites collines ! J'allais lentement pour la laisser tout voir à son aise, m'apercevant que son regard volait de chaque côté de la route, et nous montions encore, et les petites collines ne cessaient pas de se bousculer à droite, à gauche, comme pour nous regarder passer, elles qui dans leur isolement ne devaient pas voir des humains plus souvent que nous, des collines. Puis je m'arrêtai ; j'éteignis le moteur. Maman, dans sa hâte de descendre, ne savait plus quelle poignée tourner, comment ouvrir la portière. Je l'aidai. Alors, sans un mot, elle partit seule parmi les collines.

Entre les broussailles sèches la retenant un instant par sa jupe, elle se mit à grimper, alerte encore, avec des mouvements de chevrette, la tête d'instant en instant levée vers le haut... puis je la perdis de vue. Quand, un bon moment plus tard, elle réapparut, ce fut tout en haut d'une des collines les plus escarpées, petite silhouette diminuée par la distance, toute chétive, extrêmement seule sur la pointe avancée du roc. À côté d'elle, un petit sapin torturé, ayant là-haut dans les vents trouvé son gîte, s'inclinait aussi. Et j'ai pensé bizarrement en les voyant côte à côte, maman et l'arbre solitaire, que peut-être faut-il être bien seul, parfois, pour se retrouver soi-même.

Mais que se dirent-elles, ce jour-là, maman et les petites collines ? Est-ce que vraiment les collines rendirent à maman sa joyeuse âme d'enfant ? Et comment se fait-il que l'être humain ne connaisse pas en sa vieillesse de plus grand bonheur que de retrouver en soi son jeune visage ? N'est-ce pas là plutôt une chose infiniment cruelle ? D'où vient, d'où vient le bonheur d'une telle rencontre ? Serait-ce que, pleine de pitié pour sa jeune âme disparue, l'âme vieillie lui lance à travers les années un appel tendre, comme un écho : « Vois, lui dit-elle, je peux encore ressentir ce que tu as ressenti... aimer ce que tu as aimé... » Et l'écho sans doute répond quelque chose... Mais quoi ? Je ne comprenais rien alors à ce dialogue, je me demandais tout simplement ce qui pouvait retenir si longtemps ma mère en plein vent, sur le roc; et si c'était sa vie passée qu'elle y retrouvait, en quoi cela pouvait-il être heureux? En quoi pouvait-il être bon, à soixante-dix ans, de donner la main à son enfance, sur une petite colline? Et si c'est cela la vie : retrouver son enfance, alors, à ce moment-là, lorsque la vieillesse l'a rejointe un beau jour, la petite ronde doit être presque finie, la fête terminée. J'eus terriblement hâte tout à coup de voir maman revenir près de moi.

Enfin elle descendit de la petite colline; pour se donner une contenance, elle cueillit à un arbuste presque mort une branche aux feuilles rougies, pleines de feu, dont tout en avançant vers moi elle caressait sa joue penchée. Car elle revenait en me dérobant son regard, et elle ne me l'accorda qu'assez longtemps après, lorsque entre nous il ne fut plus question que de choses ordinaires.

Elle se rassit près de moi sans mot dire. Nous repartîmes en silence. De temps en temps, je l'observais à la dérobée; je voyais la joie de son âme venir briller dans ses yeux comme une eau lointaine et même, un instant, toute proche, en réelle humidité. Ce qu'elle avait vu était donc si troublant! Je fus inquiète tout à coup. Les petites collines me parurent à présent difformes, bossues, assez sinistres; j'avais hâte de retrouver la plaine franche et claire.

Alors maman me saisit le bras avec une sorte d'agitation.

— Christine, me demanda-t-elle, c'est par erreur que tu as trouvé cette merveilleuse petite route?

— Donc, l'étourderie de la jeunesse a quelque chose de bon! lui répondis-je en manière de plaisanterie.

Mais je la vis réellement inquiète.

— En sorte, dit-elle, que tu ne sauras peut-être pas la retrouver l'an prochain quand nous reviendrons chez ton oncle, que peut-être tu ne la retrouveras jamais. Il y a, Christine, des routes que l'on perd absolument...

— Que veux-tu que je fasse? la raillai-je doucement. Comme Poucet, semer des miettes de pain?...

À ce moment, les collines s'ouvrirent un peu; logé tout entier dans une crevasse parmi des sapins débiles, nous apparut un petit hameau se donnant l'air d'un village de montagne avec ses quatre ou cinq maisons agrippées à des niveaux divers au sol raboteux; sur l'une d'elles brillait la plaque rouge de la Poste. À peine entrevu, le hameau nous était dérobé déjà, cependant que le chant de son ruisseau, quelque part dans les rocs, nous poursuivit un moment encore. Maman avait eu le temps de saisir sur la plaque de la Poste le nom de l'endroit, un nom qui vint, je pense, se fixer comme une flèche dans son esprit.

— C'est Altamont, me dit-elle, rayonnante.

— Eh bien, tu as ton repère, lui dis-je, toi qui voulais en ce voyage du précis.

— Oui, fit-elle, et n'allons jamais l'oublier, Christine. Gravons-le dans notre mémoire; c'est là notre clé pour les petites collines, tout ce que nous connaissons de certain : la route d'Altamont.

Et comme elle parlait, brusquement nos collines s'affaissèrent, se réduisirent en mottes à peine soulevées de terre, et presque instantanément la plaine nous reçut, étale de tous côtés, dans son immuabilité effaçant, niant ce qui n'était pas elle. Maman et moi ensemble nous nous sommes retournées pour regarder en arrière de nous. Des petites collines rentrées dans le soir, il ne restait presque rien déjà. Seulement, contre le ciel, un contour léger, une ligne tout juste perceptible comme en font les enfants lorsque sur du papier ils s'amusent à dessiner le ciel et la terre.

III

De nouveau, l'année suivante, à l'automne, à l'époque des moissons qu'elle aimait tant, je partis avec ma mère pour notre visite annuelle à ses frères. Il y eut toujours deux époques de l'année où ma mère ne tenait absolument plus en place, son âme proche des saisons en entendant les appels les plus irrésistibles : quand c'est le temps de semer, et quand c'est le temps de récolter. Elle en était avertie, il me semble, d'une façon mystérieuse. En pleine ville, trottinant sur l'asphalte, en plein magasin parfois, maman reniflait l'air, dressait la tête, annonçait : « Cléophas a dû commencer à semer son blé aujourd'hui... » Elle traversait trois ou quatre jours d'agitation, d'instabilité, entreprenant à la fois le grand ménage, des travaux de couture, des courses en ville, que de choses encore ! pour tromper sans doute son instinct migrateur — car si jamais l'un de nous en fut possédé, ce fut bien elle la première, avant de s'apercevoir qu'il nous prenait tous, ses enfants, à tour de rôle, pour nous arracher à elle.

Nous arrivâmes chez l'oncle Cléophas en plein temps des battages.

En ce temps-là quelle activité régnait alors dans nos fermes du Manitoba ! Douze à quinze hommes loués pour la saison logeaient à la ferme, quelques-uns dans la grande maison ; d'autres couchaient dans de petites granges aménagées en dortoirs, meublées de lits de camp, et parfois, il me semble, on y perçait une fenêtre, à moins qu'il n'y eût pour admettre l'air que la porte laissée constamment ouverte.

Ces gens, à la fois serviteurs, hôtes et amis — mais comment définir les belles relations que nous eûmes ensemble ! — ces gens venaient de tous les coins du Canada, je devrais dire du monde peut-être, car c'est bien là l'étonnant, qu'au fond de nos terres lointaines se soient assemblés pour récolter le blé des hommes de nationalités et de caractères si divers : de jeunes étudiants frais de quelque université qu'à longueur de jour nous entendions parler de réformes et de changements ; de vieux bougres revenus de tout ; de cette espèce de voyageurs et de conteurs-nés qui semblent n'exister que pour briller le soir, quand ils prennent la parole ; des émigrés de toutes sortes, bien entendu ; bref, des gens tristes et des gens tapageurs, et tous, en racontant quoi que ce soit, racontaient bien un peu leur vie.

En pensant à ces veillées d'autrefois, chez mon oncle, en son habitation au milieu de la nuit sur la plaine, il me semble que j'ai l'oreille collée à une de ces conques où l'on entend un inlassable murmure. En cette maison perdue vibrait quelque chose de l'univers. Car jamais la fatigue de ces hommes n'était assez grande pour les empêcher, le soir venu, le gémissement des machines éteint pour quelques heures, de tâcher de se communiquer quelque chose d'unique en chacun d'eux et qui les rapprochait.

C'est de ces soirées se déroulant comme des concours de chants et d'histoires que date sans doute le désir, qui ne m'a jamais quittée depuis, d'apprendre à bien raconter, tant je pense avoir saisi dès alors le poignant et miraculeux pouvoir de ce don.

Maman, il est vrai, m'en avait toujours donné l'exemple, mais jamais comme en ces temps de puissante stimulation où le passé revivait en elle avec une force particulière ; car cette terre, à vrai dire très moderne à l'époque, de mon oncle, il la tenait de grand-père qui lui-même l'avait prise à l'état sauvage.

Ce vieux thème de l'arrivée des grands-parents dans l'Ouest, ç'avait donc été pour ma mère une sorte de canevas où elle avait travaillé toute sa vie comme on travaille à une tapisserie, nouant des fils, illustrant tel destin. En sorte que l'histoire varia, grandit et se compliqua à mesure que la conteuse prenait de l'âge et du recul. Maintenant, quand ma mère la racontait encore, je reconnaissais à peine la belle histoire de jadis qui avait enchanté mon enfance ; les personnages étaient les mêmes, la route était la même, et cependant plus rien n'était comme autrefois.

Quelquefois nous l'interrompions :

— Mais ce détail ne figurait pas dans tes premières versions. Ce détail est nouveau, disions-nous avec une pointe de dépit, peut-être, tant nous aurions tenu, j'imagine, à ce que le passé du moins demeurât immuable. Car, si lui aussi se mettait à changer !...

— Mais justement il change à mesure que nous-mêmes changeons, disait maman.

Ce soir-là, je me souviens, j'étais sortie pour respirer pendant quelques minutes l'air embaumé. À deux pas de la maison si chaude, si vivante, commençait une sorte de nuit impénétrable telle qu'en ces temps tant de fois décrits par maman. J'allai jusqu'au bout du petit chemin de ferme, au bord de l'immense plateau sombre à cette heure, et qui bruissait comme un grand manteau tendu au vent. Qu'il était facile, l'obscurité y effaçant toute trace d'occupation, d'imaginer ces lieux dans leur songerie primitive qui avait tant exalté mon grand-père, mais à jamais rebuté ma grand-mère. Par ces nuits de vent tiède et vaguement plaintif, je prenais conscience de ces deux âmes profondément divisées. Et mon cœur aventureux les divisait peut-être davantage encore en penchant si fortement pour celui qui avait tant aimé l'aventure.

Je revins sur mes pas et, avant de revoir au fond du bois les lumières de la maison, j'entendis, venant d'un autre point pourtant, un bruit indistinct, sourd, vaguement heureux. C'était, de l'écurie pleine de bêtes harassées par les labeurs de la journée, le ruminement des grands chevaux de ferme sur un rythme lent, indiquant la fatigue mais aussi, il me sembla, le bienfait du repos.

Dans la grande salle où s'attardaient encore de nos gens, je trouvai ma mère et l'oncle Cléophas un peu à l'écart et occupés justement à se remémorer le caractère de grand-mère.

— Te souviens-tu, Éveline, rappela mon oncle, de cette colère subite qu'elle nous fit le premier soir où en chariot vers notre destination, n'ayant pas trouvé en route de maison pour nous loger, nous avons dû camper à la belle étoile? Était-ce à cause du feu qui prenait mal? Était-ce la peur de la plaine nue tout autour? Elle se dressa, nous traitant de bohémiens et nous menaça : « Tiens, j'en ai assez de vous suivre, bande d'inconnus! Allez donc votre chemin; moi, j'irai le mien. »

Maman souriait avec un peu de tristesse.

— Ce sont des menaces comme on en fait lorsqu'on est acculé. Avant de quitter son village, sans doute n'avait-elle pas entrevu toute l'ampleur du changement. C'est le soir dont tu parles qu'elle a dû en saisir la portée.

— Mais nous traiter d'inconnus!

— Ne l'étions-nous pas en un sens, dit maman, puisque, tous contre elle, nous lui avions pour ainsi dire de force arraché son consentement.

— Il le fallait, soutint mon oncle. Il fallait partir. Du reste, là-bas dans les collines, rappelle-toi, Éveline, ce n'était que cailloux, chiche terre…

— Sans doute, dit maman, mais elle y était attachée, et toi-même tu dois savoir à présent que l'on ne s'attache pas uniquement à ce qui nous est doux et facile.

Un tout jeune homme réfugié dans un coin de la salle jouait en sourdine de l'harmonica. L'air un peu traînant formait un accompagnement discret aux paroles et peut-être les poussait-il quelque peu à la nostalgie.

— Qu'aurions-nous pu faire d'autre que ce que nous avons fait ? reprit mon oncle. L'Ouest nous appelait. C'était l'avenir alors. Du reste il nous a donné raison.

— C'était l'avenir, dit maman ; maintenant, c'est notre passé. Tâchons au moins, à la lumière de ce que nous avons appris en vivant, de comprendre ce que ce fut pour elle d'avoir à quitter son passé alors qu'elle n'était plus jeune. Toi, Cléophas, quitterais-tu de bon cœur cette ferme dont tu as hérité ?

— Ce n'est pas la même chose, se défendit mon oncle. Ici j'ai tellement travaillé.

Maman avait l'air d'être à l'écoute de quelqu'un d'invisible, une âme disparue peut-être et qui ne cessait pas pour autant de tâcher de se faire entendre. Elle leva les yeux sur son frère et lui fit un sourire de blâme indulgent.

— Et elle, Cléophas, là-bas, sur cette terre de misère, pour nous faire une vie somme toute douce, n'as-tu donc jamais compris à quel point elle a dû travailler ?

— Il est vrai, dit mon oncle un peu gêné. Mais j'étais si jeune quand nous avons quitté les collines. Je m'en souviens à peine. Toi, tu te les rappelles ?

Maman fixait rêveusement ses mains jointes.

— Je me souviens, oui, assez bien.

Mais que retrouvait-elle au juste ? Les anciennes petites collines quittées depuis son enfance ? Ou celles tout inattendues du Manitoba, que nous avions un jour découvertes, qui lui avaient tout remis en mémoire et par quoi avait dû commencer ce changement que j'avais observé en elle, car, à bien y penser, c'était depuis la réapparition de collines dans nos vies que je lui connaissais cette attention bouleversante aux voix venues du passé et qui me l'enlevait à moi partiellement.

Tout à coup j'en eus assez de tout ce clair-obscur. Après tout, s'il s'agissait de collines, autant en parler ouvertement, vider une fois pour toutes la question. Quel était en effet ce silence qu'elle observait à l'endroit des collines ? Il me vint à l'idée qu'elle ne m'en avait pas reparlé une seule fois de toute cette année, quoiqu'elle y pensât sans cesse, j'en étais persuadée.

J'abordai le sujet.

— Mon oncle, demandai-je, connaissez-vous le petit village d'Altamont ? Moins qu'un village au reste : tout juste quelques maisons…

— Altamont ! reprit mon oncle en fumant tranquillement sa pipe. Un curieux petit coin, n'est-ce pas, à moitié mort depuis longtemps. Je n'ai jamais aimé cette région. C'est resserré, étroit ; je n'ai jamais pu comprendre qu'ayant le choix de terres dans la plaine droite et facile, on ait pu tourner les yeux vers ce petit massif. C'est pourtant ce qui se produisit il y a quelque cinquante ans. Du moins cette région attira-t-elle des émigrés d'Écosse qui retrouvèrent là, j'imagine, quelque image en petit de leur pays abandonné. Mais quelle folie ! Les Highlanders eux-mêmes n'y firent pas long feu, se dispersant après peu de temps pour rentrer dans leur pays ou gagner les villes. Une expérience qui a tourné au désastre, voilà Altamont.

— Pourtant, dis-je, m'entendant parler comme à la place de maman, il y a des aperçus extraordinaires à saisir quand on traverse toute la petite chaîne des collines.

— Une route à travers toute la chaîne des collines, me dis-tu ! Elle doit, en ce cas, être bien mal entretenue, car presque personne, à ma connaissance, ne va plus jamais par là.

Je m'aperçus alors que maman me surveillait d'un air inquiet, comme si elle redoutait que je misse mon oncle trop avant dans nos secrets ; des yeux, elle m'engageait à n'en rien faire. Bon et amène comme il était, mon oncle était néanmoins peu porté en effet aux élans de l'imagination et savait parfois les rabattre d'un seul mot trop concret. C'était curieux : le vrai fils, au fond, de grand-mère, le plus exactement semblable à elle-même, avec son esprit réaliste, son attachement à ce qu'il possédait, il était par manque d'imagination justement le moins capable de la comprendre.

La conversation prit un autre tour. Un petit vieux norvégien engagé par mon oncle, souvent renfermé, loquace pourtant à ses heures, se mit soudainement avec son fort accent rugueux à nous décrire les montagnes de son pays, de grands fjords ouverts profondément à la lente montée de la mer.

Par ces soirs de souvenirs et de mélancolie, bien des fois nous avons retrouvé ainsi, à de rêveuses distances, des horizons perdus.

IV

Le temps vint de nous remettre en route.

Comment ai-je su, sans qu'elle en dise mot, que maman était reprise par la pensée des collines ? Cet air doux sur son visage, cet air si doux d'un visage absent du présent, est-ce là ce qui me renseigna ?

Nous sommes parties en silence. Après quelques villages, après les routes encore un peu fréquentées, nous sommes arrivées dans une plaine à peu près inhabitée au bout de laquelle se profila le faible relief d'une région quelque peu soulevée.

Et une fois encore, par de petites routes taciturnes, de croisement en croisement muet, sans réfléchir, sans hésiter, comme si ce pays où j'allais ne fût pas sur la carte mais seulement au bout de la confiance ; une fois encore, entre les herbes sifflantes et la terre qui poudrait en gestes tristes de chaque côté et comme en rêve, de carrefour en carrefour je conduisis ma mère droit dans les collines, mais elle ne s'éveilla pas pour les voir surgir toutes faites, car depuis un bon moment, assise au bord du siège, elle les guettait et les voyait venir avec une sorte de paix heureuse qui contrastait fort avec l'agitation du voyage précédent. Mais cette assurance heureuse, lui venant sans doute du sentiment que les collines étaient bel et bien réelles, se teintait d'une tendre mélancolie comme si elle en était un peu, en les trouvant si vraies, à leur dire aussi une sorte d'adieu.

Je ne sais pourquoi je me mis à l'interroger au sujet de grand-mère.

— Fut-elle disputeuse toute sa vie ? Ou cela ne lui vint-il que sur le tard ?

Maman parut secouer un rêve.

— C'est curieux que tu me parles d'elle au moment où je songeais à quel point elle a dû être seule parmi nous tous, ses enfants et son mari, qui étions pour ainsi dire d'une race différente. J'aurais voulu la rappeler sur terre un moment au moins, pour tirer les choses au clair avec elle...

— Mais grand-père, avec ses rêves qu'elle ne voulut jamais partager, lui aussi a dû se sentir seul.

— Oui, sans doute... C'est étrange, poursuivit-elle, ce qui se passe en nous à mesure que nous vivons : les êtres qui nous ont donné la vie continuant en nous, à travers nous, à lutter l'un contre l'autre, chacun voulant nous avoir à soi complètement.

— C'est plutôt affreux ce que tu dis là.

— Affreux ? Mais non, tout simplement juste de leur point de vue, encore que pour celui qui subit ce partage, ce n'est pas toujours facile.

Elle eut un éclair dans les yeux, m'avoua :

— Toute jeune, je me reconnaissais parfaitement en mon père et lui en moi : nous étions des alliés. Maman disait de nous, avec un peu de rancune, peut-être : deux pareils au même. Je croyais tenir de lui uniquement, et je pense que je m'en réjouissais... Je l'aimais presque à l'exclusion de tout autre.

— Ensuite ?

— Plus tard, fit maman, avec les premières désillusions de la vie, j'ai commencé à détecter en moi quelques petits signes de la personnalité de ma mère. Mais je ne voulais pas lui ressembler, pauvre vieille pourtant admirable, et je luttais. C'est avec l'âge mûr que je l'ai rejointe, ou qu'elle-même m'a rejointe, comment expliquer cette étrange rencontre hors du temps. Un jour, imagine-toi ma stupéfaction, je me surpris esquissant un geste d'elle qui, dès la première fois où je le fis, me vint pourtant aussi naturellement que de respirer. Mon propre visage d'ailleurs se mit à changer. Toute jeune, on disait de moi que j'étais le vivant portrait de ton grand-père. Puis peu à peu, de jour en jour, je le vis se modifier sous l'effet d'une invisible et attentive volonté sans bornes. Maintenant, peux-tu honnêtement me dire que je ne ressemble pas étonnamment à ce portrait que nous avons de grand-mère à l'âge que j'ai atteint ?

Je lui jetai un coup d'œil troublé et ne pus m'empêcher de lui donner quelque peu raison.

— Pour le visage, oui, peut-être, mais pas par le caractère.

— Par le caractère aussi, va ! D'ailleurs je ne m'en indigne plus puisque, devenue elle, je la comprends. Ah, c'est bien là l'une des expériences les plus surprenantes de la vie. À celle qui nous a donné le jour, on donne naissance à notre tour quand, tôt ou tard, nous l'accueillons enfin dans notre moi. Dès lors, elle habite en nous autant que nous avons habité en elle avant de venir au monde. C'est extrêmement singulier. Chaque jour, à présent, en vivant ma vie c'est comme si je lui donnais une voix pour s'exprimer. Ainsi, au lieu de me dire : « Voilà ce que j'éprouve, voilà ce qui m'arrive… » je pense plutôt avec une sorte d'étonnement triste mais de joie aussi dans la découverte : « Ah, voilà donc, pauvre vie terminée, ce qu'elle a ressenti ; ce qu'elle a souffert. » On se rencontre, fit-elle, on finit toujours par se rencontrer, mais si tard !

Un peu accablée par cette confidence, y voyant, plutôt qu'une miraculeuse rencontre, je ne sais quelle insupportable atteinte à la personnalité, à la liberté individuelle, je me mis à mon tour contre grand-mère.

— Tu ne lui ressembles guère, Dieu merci. D'abord tu es trotteuse comme grand-père. Tu n'es pas du tout reste-à-la-maison. Et puis, tu n'es pas encore trop disputeuse…

Elle releva ma douce raillerie d'un sourire en coin.

— Ça peut venir... Et puis, grand-mère n'était pas si disputeuse qu'on l'a dit, se prit-elle à la défendre âprement. Elle l'est devenue quand tous ensemble nous l'avons poussée à bout.

— Comment cela ?

— En résistant à son amour. Il y en a deux sortes : celui qui ferme les yeux, qui est accommodant ; l'autre, qui garde les yeux bien ouverts. C'était sa manière, exigeante et dure.

— Mais s'il est vrai, comme tu dis, qu'elle aima tant grand-père, comment se fait-il qu'elle ne lui pardonna jamais tout à fait, en fin de compte, de l'avoir entraînée dans l'aventure de l'Ouest ?

— L'amour trouve difficile justement de pardonner le moindre manquement à l'amour.

— Et c'était un manquement à l'amour de la part de grand-père d'avoir tenu à tout prix à déplacer sa famille ?

— Ah, je ne sais plus, en convint maman. Tous deux avaient raison, au fond. C'est ce qui fait sans doute qu'on est si loin les uns des autres en cette vie : on a presque tous raison l'un contre l'autre.

— Ah vraiment, dis-je, si l'amour et le mariage sont ce que tu dis, ils m'apparaissent plutôt propres à diminuer l'être humain...

— Diminuer ! s'écria maman. Il faut donc que tu n'aies rien compris à ce que j'ai tâché de t'expliquer. Que c'est le seul chemin, au contraire, pour avancer un peu hors de soi... Mais, tu es jeune, fit-elle avec une soudaine et tendre indulgence. Reste jeune, me pria-t-elle comme si c'était en mon pouvoir. Reste jeune et avec moi toujours, ma petite Christine, afin que je ne devienne pas trop vite tout à fait vieille et disputeuse.

Nous sommes parties à rire ensemble. Puis maman ramena les yeux sur les collines et je les vis s'emplir de cette joyeuse liberté de l'âme, avant qu'elle n'ait subi de prise de possession, et lorsque le monde et les choses se présentent comme pour la première fois et rien que pour elle. Je compris un peu mieux l'attrait de cette petite route sur ma vieille mère. Cette liberté de tout accueillir, puisque aucun choix important n'en a encore entamé les possibilités, cette liberté infinie, parfois si troublante, ce doit être cela, la jeunesse. Et sans doute était-ce de cette liberté d'un jour que maman recevait encore de l'air pur. Ah, quoi qu'elle eût dit de l'amour humain et de ces contraintes qui nous perfectionnent, je sentais bien à travers elle que c'est dans la solitude seulement que l'âme goûte sa délivrance. À côté de moi, je l'entendis s'écrier :

— Que ces collines sont donc charmantes… et jeunes, ne trouves-tu pas ?

— Jeunes ? Je ne sais. On prétend, au contraire, que ce sont de très, très anciennes formations…

— Ah, tu m'en diras tant ! fit-elle un peu vexée, et elle me sermonna quelque peu : sais-tu, Christine, tu devrais dessiner une carte de ces petites routes embrouillées, puisque tu refuses de demander des indications au départ ou en route, disant que c'est contraire à l'esprit du voyage, qu'il faut se fier à la route justement. Or, tout cela est bien, mais pourquoi ne ferais-tu pas une carte de notre petit pays ? Autrement, un jour ou l'autre, acheva-t-elle sur un ton de reproche assez piquant, tu finiras par perdre ma route d'Altamont.

J'éclatai de rire. Quelle sombre et fausse idée avais-je pu me mettre en tête ! Maman n'était ni menacée, ni âgée, ni diminuée. C'est à peine, au fond, si elle avait quinze ans !

V

Je l'avais entendu déjà, parfois, l'appel insistant, étranger — venant de nulle autre que moi pourtant — qui, tout à coup, au milieu de mes jeux et de mes amitiés, me commandait de partir pour me mesurer avec quelque défi imprécis encore que me lançait le monde ou que je me lançais à moi-même.

J'avais réussi jusque-là à m'en délivrer, puis, sans qu'il ne me parlât beaucoup plus distinctement, j'en vins à l'entendre qui me relançait partout. (Je dis *il* : comment nommer autrement ce qui devint peu à peu mon maître, mon tyrannique possesseur ?) Étais-je un instant heureuse dans mon insouciance, mes petits projets raisonnables d'avenir, que j'entendais s'élever ses remontrances : « Qu'attends-tu donc pour partir ? Tôt ou tard, tu devras le faire... » J'étais tentée de demander : « Qu'es-tu, toi qui me poursuis ainsi ?... » mais je n'osais pas, apercevant que cet être étranger en moi, insensible s'il le fallait à la peine qu'il me ferait et ferait à d'autres, c'était aussi moi-même.

Pourtant ma vie me plaisait, et ma tâche d'institutrice, assez haute sûrement pour la remplir. De plus j'avais ma mère qui elle n'avait plus que moi.

Or il arriva que cette vie que je vivais, comme si elle se sentait menacée, me couvrit de caresses et se montra pour moi plus tendre et précieuse que jamais. Quand on aime la vie, c'est alors qu'elle-même nous aime le plus, comme par un prodige d'entente.

Que je me souviens bien de cette année de ma vie, la dernière peut-être où j'ai vécu tout près des gens et des choses, non pas encore un peu retirée d'elle comme il arrive malgré tout lorsqu'on s'adonne à la vouloir exprimer. Tout a existé simplement pour moi cette année encore, à cause de devoirs exacts et raisonnables qui me soudaient à la vie. Il neigeait, et tout candidement je recueillais cette sensation de froid humide sur ma joue. Il ventait, et je courais voir de quel côté venait le vent. Notre petite ville n'était pas pour moi une énigme, une invitation à soulever les toits pour voir ce qui s'y cachait : c'était une petite ville de maisons amies dont je connaissais les gens, toutes leurs habitudes, l'heure à laquelle ils sortaient, où ils allaient. Je fus quelque temps encore à l'aise dans la vie… non pas un peu de côté. Et puis, après, rarement ai-je pu y revenir tout à fait, voir encore les choses et les êtres autrement qu'à travers les mots, lorsque j'eus appris à m'en servir comme de ponts fragiles pour l'exploration… et il est vrai, parfois aussi, pour la communication. Je suis devenue peu à peu une sorte de guetteuse des pensées et des êtres, et cette passion pourtant sincère use l'insouciance qu'il faut pour vivre.

Donc, quelque temps encore, je connus la liberté de mes propres pensées — et ceux qui la possèdent connaissent-ils assez leur bonheur ? Elles ne me paraissaient pas assez importantes pour les arrêter en route, leur imposer une halte, les retenir, m'en servir ; libres, elles allaient leur petit chemin joyeux.

Maintenant, dès qu'elles me viennent, je m'imagine qu'elles sont un peu pour les autres, je les fouille, les travaille. Ainsi me sont-elles devenues une fatigue.

Quelque temps plus tard me furent retirés le sentiment et la chaleur du réel, auxquels je m'étais attachée comme à mon bien, et je n'ai rien tant craint depuis lors que de voir se reproduire cette privation.

Je marchais dans notre petite ville, et elle était devenue à mes yeux inconsistante et pâle comme une ville de cinéma : les maisons de chaque côté des rues étaient de carton-pâte, les rues elles-mêmes vides, car les passants qui me frôlaient, c'est à peine si je les entendais venir, si je leur voyais un visage ; la neige, c'est à peine si je comprenais qu'elle tombait sur moi ; moi-même, au reste, j'étais occupée par une sorte d'absence, si l'on peut dire...

Parfois une très singulière question montait de moi comme du fond d'un puits : « Que fais-tu ici ? » Alors, je jetais les yeux autour de moi, je tâchais de me retenir à quelque chose, hier familier pourtant, en ce monde qui se dérobait.

Mais l'affreuse impression persistait que j'étais ici par l'effet du hasard et que j'aurais à découvrir l'endroit du monde encore inconnu de moi où je pourrais me sentir peut-être un peu à ma place. Tout le long du jour m'accompagnait sans désemparer cette petite phrase en apparence insignifiante mais si bouleversante : « C'est fini, ce n'est plus ici chez toi. Tu es ici à l'étranger maintenant. »

Un jour, n'en pouvant plus, je tentai de parler avec ma mère de ce que j'éprouvais.

— Maman, dans ta propre vie, as-tu parfois eu l'impression d'y être comme par l'effet d'une erreur, en étrangère ?

— Souvent, dit-elle, comme projetée par cette simple question dans la terrible et vaste rêverie où nous sommes si seuls à savoir ce que nous pensons de nous-mêmes. Crois-tu donc qu'il y a beaucoup de gens à être assez satisfaits de leur vie pour ne pas s'y sentir à l'étroit — ou à l'étranger, si tu aimes mieux ?

— Tu ne nous avais jamais donné à entendre que pour toi...

— À quoi bon ! Jeune, sais-tu que j'ai ardemment désiré étudier, apprendre, voyager, me hausser du mieux possible... Mais je me suis mariée à dix-huit ans et mes enfants sont venus rapidement. Je n'ai pas eu beaucoup de temps pour moi-même. Quelquefois encore je rêve à quelqu'un d'infiniment mieux que moi que j'aurais pu être... Une musicienne, par exemple, n'est-ce pas assez fou ?

Puis elle se hâta d'ajouter, comme pour me dépister, se cacher de s'être à moi découverte :

— Tout le monde fait pareil rêve, tout le monde, te dis-je.

— Si c'était à recommencer, te marierais-tu quand même ?

— Certainement. Car je te regarde et me dis que rien n'est perdu, que tu feras à ma place et mieux que moi ce que j'aurais désiré accomplir.

— Cela compense donc ?

— Cela fait bien plus que compenser. N'as-tu donc pas encore compris que les parents revivent vraiment en leurs enfants ?

— Je pensais que tu revivais surtout la vie de tes parents à toi.

— Je revis la leur, je revis aussi avec toi.

— Ça doit être épuisant ! Tu dois peu souvent être toi-même.

— En tout cas, c'est peut-être la partie de la vie le plus éclairée, située entre ceux qui nous ont précédés et ceux qui nous suivent, en plein milieu...

Mais tout cela, pensais-je, ne nous rapprochait pas du sujet que je désirais aborder.

— Écoute, maman, m'approuverais-tu si je te disais que bientôt peut-être ?...

— Que veux-tu dire ? Tu n'en es pas toi aussi à songer à partir ?

— Oui, maman, pour un an ou deux.

Elle me considéra longuement et tout ce temps comme en s'éloignant, en s'éloignant terriblement de moi. Ce me fut insupportable, lui ayant simplement dit que je voulais m'en aller, de la voir, elle, prendre les devants, se retirer la première. Puis elle éclata en reproches véhéments :

— T'en aller, toi aussi donc ! Voilà ce que tu complotes. J'aurais dû m'en douter...

Plus encore que cette soudaine violence me bouleversa l'effort que je lui vis faire ensuite pour se ressaisir et se dominer. D'une voix sans timbre elle demanda :

— T'en aller ! Mais où ?

— En Europe, maman...

— L'Europe ! reprit-elle, le lointain de ce mot renouvelant son ressentiment. Mais pourquoi ? Pourquoi ? Qu'irais-tu faire là-bas ? Dans ces vieux pays tourmentés, si différents du nôtre ?

— Justement maman, cette différence doit éclairer... Mais c'est surtout en France que je voudrais aller.

— La France ! jeta-t-elle comme avec mépris, elle qui nous en avait parlé toute sa vie sur le ton du plus haut respect.

— Que veux-tu, dis-je, j'ai été élevée à croire que la France est notre vieille mère patrie à tous et que je pourrais m'y trouver comme chez moi.

— Eh bien, ce n'est pas vrai. C'est là la plus grande de toutes les chimères que nous avons jamais entretenues.

— Peut-être, mais ne faut-il pas aller voir, avant de dire que c'est une chimère ?

— Ah, tu m'en diras tant, fit-elle à bout de nerfs, puis elle tâcha de se radoucir, ou encore de garder ses forces peut-être, comme quelqu'un qui prévoit devoir livrer une dure bataille. D'abord, si tu veux écrire, tu n'as pas besoin pour cela de courir au bout du monde. Notre petite ville est composée d'êtres humains. Ici comme ailleurs il y a à décrire la joie, les chagrins, les séparations...

— Mais pour le voir ne faut-il pas que je m'éloigne ?

— S'éloigner ! Toute ma vie j'aurai entendu ce mot ! Dans la bouche de tous mes enfants ! Mais à la fin d'où vous vient donc cette passion ?

— Peut-être de toi.

— Oui, peut-être, mais moi je ne suis pas partie.

— Tâche d'être raisonnable.

— Raisonnable!

Et elle reprit avec entêtement:

— Un écrivain n'a vraiment besoin que d'une chambre tranquille, de papier et de soi-même...

— Soi-même, tu le dis bien!

— Et pour être toi-même, tu entends donc tout briser?

Devant l'excès de nos propos, nos défenses sont tombées un instant, et nous nous sommes regardées l'une l'autre dans la peine.

— Dire qu'hier encore je te pensais heureuse, se plaignit-elle.

— Rappelle-toi, maman, lui dis-je, si toi et grand-père, en route pour l'Ouest, avez découvert la plaine, c'était que vous aviez abandonné un pays.

— Oserais-tu me dire que pour découvrir il faut tout abandonner?

— Certaines choses en tout cas. Quand tu étais plus jeune, tu le comprenais.

— Comprendre! s'écria-t-elle. T'imagines-tu donc que l'on comprend quand on est jeune? Comprendre, c'est affaire d'expérience, de toute une vie...

— Eh bien, puisque tu comprends mieux que moi...

— C'est cela, retourne l'arme contre moi. Prétendrais-tu m'user comme nous nous sommes mis ensemble autrefois pour user ma pauvre mère?

— Tu commences en effet à lui ressembler, eus-je le grand tort de souligner, à quoi elle ne répondit que par un regard blessé.

C'était inutile. Elle ne pouvait ou ne voulait céder à mes arguments. Pauvre moi aussi d'avoir pu croire que les arguments sont efficaces contre une âme tourmentée. Nous sommes devenues quelque peu ennemies, ma mère et moi. Dans sa vieillesse elle eut cette douleur d'entretenir envers moi des sentiments hostiles. Comment en aurait-il pu être autrement? Lorsqu'ils s'opposent à leurs enfants, les parents bien souvent ne sont-ils pas en lutte contre l'audace de leur propre jeunesse revenue les harceler dans leur âge recru de fatigue et d'aventures?

Pendant près de toute une année, maman, sans cesse vaincue, sans cesse recommençant, fit front contre ce que j'avais de plus semblable à ce qu'elle avait été, pour le décourager d'un trait amer, pour le railler et, parfois, de façon tout inattendue, pour le prendre en pitié.

Pas plus que moi, durant ces mois cruels, fut-elle présente au monde et aux saisons.

Parfois, si j'avais été quelques semaines sans reparler de mon projet, ou tout simplement si j'avais paru m'intéresser à quelque chose d'autre, elle en tirait je ne sais quel espoir timide; je voyais alors ses yeux rôder, si je puis dire, autour des miens, prêts dans le même instant à fuir ou à s'apprivoiser.

Le printemps vint cette fois sans qu'elle s'en aperçût. Bien en retard, elle ne perçut le renouveau que lorsqu'il était déjà fort avancé, presque dépassé. Par une journée déjà chaude, elle leva vers le ciel un regard étonné et soupira : « Cléophas depuis longtemps doit avoir ensemencé ses terres. Ses terres… » fit-elle comme perdue en rêve.

Puis l'été fut derrière nous. Je devais partir au début d'octobre. J'avais retenu mon billet en troisième pour Paris. Du fond du Manitoba à la Ville lumière, comme je disais naïvement, c'est un grand pas. Je tremblais de l'entreprendre maintenant que le trajet devant moi prenait figure de certitude. Je commençais à craindre cet instant exaltant du départ qui est aussi celui où l'on prend sa taille exacte dans le monde, si petite que le cœur peut nous manquer. Pourtant cette vulnérabilité extrême me paraissait et me paraît encore l'une des étapes les plus nécessaires à la connaissance de soi.

Grand-père avait dû la connaître lorsqu'il s'enfonça dans les terres alors sauvages de l'Ouest. Peut-être, malgré tout, n'étions-nous pas si loin l'un de l'autre, le pionnier attentif à l'appel d'un pays à créer, et moi qui, des pays jeunes et informes encore, entendais celui des villes exigeantes.

Du reste, toujours en fut-il ainsi dans notre famille : une génération alla vers l'Ouest ; la suivante fit le trajet inversement. Toujours nous sommes en migration.

Maman fut proche, peut-être, de m'avouer qu'elle se sentait trop vieille pour me perdre, qu'il y a un âge où l'on peut supporter de voir partir ses enfants, mais qu'ensuite c'est vraiment comme si on vous enlevait le dernier lambeau de jeunesse, comme si toutes les lampes étaient soufflées. Elle fut trop fière pour me retenir à ce prix. Mais que j'étais dure en mon manque d'assurance ! Il m'aurait fallu que ma mère me laissât aller de gaieté de cœur et ne me prédît rien que d'heureux.

Parfois elle osait une mise en garde contre quoi je me rebiffais.

— Tu connaîtras peut-être de la misère là-bas. De quoi vivras-tu ?

— Mes économies suffiront pour un an… peut-être deux. Ensuite, je me débrouillerai.

— Je serai inquiète, disait-elle.

Et je répondais, un peu agacée :

— Mais pourquoi donc inquiète ? Il ne faut pas t'en faire.

Puis un jour vint où je proposai :

— Avant que je vende ma petite auto, veux-tu que nous fassions notre voyage chez Cléophas ? Au retour, nous repasserons par ta route d'Altamont.

VI

Qu'arriva-t-il donc cette fois au juste ? Les collines me parurent moins hautes, moins formées, presque insignifiantes. Étais-je tellement en avance sur mon départ, est-ce que déjà je ne les comparais pas aux montagnes que je verrais et dont je me disais le nom depuis l'enfance : les Alpes, les Pyrénées ?

Il est vrai, cette journée n'était pas vraiment ensoleillée, et l'automne, cette année, ne brillait pas comme de coutume. Les couleurs familières y parurent, oui, si l'on veut, mais assourdies. En d'autres temps, maman m'aurait dit que c'était faute de gel, car il en faut au moins une nuit pour alerter la nature et lui faire prendre ses tons brûlants. Mais elle ne disait rien. C'était là d'ailleurs notre pire souffrance, d'en être à éviter entre nous presque tout sujet qui nous avait plu naguère, pour nous en tenir à des banalités. Au bout d'un moment, je me tournai vers elle et lui vis un visage creusé par la déception.

— Ce ne sont pas nos collines, Christine. Tu as dû te tromper de route.

— Pourtant…

— Nos collines étaient plus resserrées, mieux groupées, plus hautes aussi.

— Nous avons dû nous y habituer.

— Mais la deuxième fois que nous les avons traversées, elles nous parurent cette fois encore charmantes, souviens-toi.

— Eh bien, peut-être les voyons-nous aujourd'hui seulement telles qu'elles ont toujours été.

— Ah, tu crois ?

J'avais réussi à l'ébranler, et elle se mit à scruter le paysage avec une expression de doute qui était pathétique à voir. Qu'est-ce qui manquait donc à notre promenade d'aujourd'hui ? Les collines ? Ou peut-être plutôt le regard ? En celui de maman en tout cas, je ne vis revenir rien de ce que j'y avais vu, au précédent voyage, de jeune et de délivré. Et certes, je savais déjà que les souvenirs heureux ne nous viennent pas de notre gré, qu'ils appartiennent à un autre monde qu'à celui de notre volonté ; mais je m'entêtais, je tenais à ce que maman rajeunît encore une fois sous mes yeux.

— Elles sont quand même belles, ces buttes.

— Peut-être, mais ce ne sont pas les nôtres.

En un sens, c'était le même paysage que nous avions parcouru et aimé, mais en plus flou. Il nous procurait la pénible impression que nous donne d'un visage aimé une photographie imparfaite.

Les petits soulèvements continuaient à défiler, sans beaucoup d'élan. Il régnait entre eux une grande chaleur resserrée. Maman finit par ne plus leur accorder qu'un vague regard un peu indifférent, comme si elle s'attendait à tout perdre maintenant, et peu importe peut-être. Or l'indifférence est ce que j'ai le moins pu supporter toute ma vie. J'ignorais qu'il en faut pourtant un peu à la vieillesse pour soutenir le coup de voir chaque jour quelque chose lui échapper.

— Maman, vas-tu donc t'endormir au beau milieu des collines ?

Elle sursauta, porta les yeux autour d'elle et, un moment, en apercevant une forme plus bosselée que les autres, commença de sourire, non pas à cette butte peut-être, mais à quelque chose derrière elle de séduisant, de jeune toujours et qui lui venait de loin, intact encore. Mais son espoir tomba, son regard se ternit. Elle me reprocha, un peu bougonne :

— Je t'avais dit aussi qu'un jour tu finirais par perdre ma route d'Altamont.

L'avais-je donc perdue ?

En pensée je me pris à refaire autant que je le pouvais mon itinéraire habituel. Je repassai par les carrefours silencieux. Au premier, est-ce que je n'avais pas hésité, pris une direction autre que lors de nos précédents voyages ? Comment en être sûre ? Au vrai, cette route d'Altamont, elle était comme un songe, la connaissais-je seulement ? Deux fois, par extraordinaire, je l'avais trouvée sans la chercher. N'était-elle pas de ces routes qu'on ne découvre jamais du moment qu'on s'applique trop à le vouloir ? Je n'en avais pas en tout cas décelé la moindre trace sur les cartes, quoique, il est vrai, ces cartes pour la plupart ne tinssent pas compte de hameaux de moins de dix maisons et des routes pour y aller. Mais je me demandais surtout : « Maman n'a-t-elle pas vieilli énormément d'un coup ? Peut-elle seulement attendre que je sois prête à lui montrer ce dont je voudrais être capable ? Et si elle ne le peut pas, ce que je tiens à accomplir aura-t-il seulement encore de la valeur à mes yeux ? »

Alors je m'entendis lui dire sur un ton quelque peu impatient :

— Quelle autre route veux-tu que ce soit sinon la route d'Altamont ?

L'était-ce tout de même ?

Dans ces collines si peu fréquentées y aurait-il eu deux routes : l'une, légère et heureuse, en parcourant les sommets ; et une autre, inférieure, au bas des contreforts, qui n'aurait fait que côtoyer, sans jamais y entrer, le petit pays secret ?

De nouveau maman s'était reprise à scruter les côtés de la route. Elle le faisait avec une attention accrue, mais malheureuse, où je crus voir pointer la peur où elle était de ne plus savoir elle-même reconnaître ce que les paysages avaient à lui proposer. Parce qu'elle était trop vieille ? Trop lasse ? Que sa mémoire faisait défaut ? Ou sa sensibilité ? Parce que c'était à jamais perdu peut-être...

Comme les autres fois, en débouchant dans la plaine, nous avons regardé derrière nous. Sur l'horizon déjà sombre ne se détachait pas la moindre ligne de collines onduleuses ni même de ces nuages qui les imitent si souvent dans notre ciel manitobain. Mais, il est vrai, il se faisait tard, il restait peu de clarté.

Nous atteignîmes les indications routières en jaune clair, hautes sur pied, où figure l'image du bison — autrefois seigneur des Prairies, vagabond à travers ces étendues. Maintenant, sur ces plaques de tôles, il signale les grand-routes du Manitoba qu'il maintient dans le plus droit trajet possible de ville en ville. Nous roulions depuis un bon moment sur le monotone *highway*, auto derrière auto, lorsque maman releva la tête et me dit avec défi :

— Non, Christine, ce n'était pas la route d'Altamont.

— Comment le sais-tu ?

— Parce que nous n'avons pas vu le village d'Altamont.

— Un si petit village ! dis-je. Il aurait suffi que nous ayons regardé du mauvais côté pendant que nous le traversions pour qu'il nous ait échappé. Tu te rappelles : il est groupé sur un seul côté de la route.

Elle se montra déconcertée et confuse, mais pour se remettre bientôt à chercher des points qui pourraient lui donner raison contre moi.

— J'ai bien regardé des deux côtés à la fois de la route, dit-elle.

Devant nous surgit en plein dans les herbes de la Prairie l'usine de ciment qui blanchissait, étouffait tout de son haleine crayeuse. Puis ce furent les lotissements neufs, les cottages identiques tristement rangés en longues avenues semblables aux abords de la vieille plaine méditative. Dans mon pays, les villes trop jeunes n'ont pas encore eu le temps de se faire un caractère en accord avec la nature terriblement grande, il est vrai, qui les entoure. Pourtant, il semble parfois que la plaine les propose à l'imagination, ces villes de demain peut-être, idéales, à sa propre image, lorsqu'elle les suscite au ras de l'horizon en mirages d'un ensemble merveilleux, parfaitement à leur place.

— Ce n'est pas ta faute, recommença maman, mais que c'est dommage d'avoir manqué la route d'Altamont aujourd'hui justement.

Qu'entendait-elle par : aujourd'hui justement ? Moi, voulant me faire gentille, me racheter de je ne sais trop quel élan de joie que j'avais pu éprouver, je lui dis, en l'appelant par son prénom comme cela m'arrivait quelquefois quand je voulais, je suppose, me l'attacher plus étroitement, tout en défendant contre elle ma jeune liberté affolée, je lui dis :

— La prochaine fois, Éveline, je trouverai ta petite route d'Altamont. Je reviendrai de Paris. Toi, tu seras toujours l'ardente voyageuse. Nous partirons ensemble pour Altamont. D'ailleurs, quand j'aurai de l'argent, nous partirons ensemble pour bien des voyages. Et pourquoi, par exemple, n'irions-nous pas un jour toutes les deux voir les véritables collines de la famille, dans le petit village de grand-mère, au Québec ?

Elle me lança alors un regard si aigu, si désolé, si seul, que je n'osai poursuivre. Et peut-être n'est-ce pas malgré tout si important qu'elle n'ait pas revu ce jour-là la route d'Altamont…

Car elle ne voyagea plus beaucoup, immobilisée par l'âge et les nécessités ; ou, si elle le fit encore quelquefois, ce ne fut que pour aller au secours de l'un ou l'autre de ses enfants éparpillés dans le vaste pays. Mais, est-ce que ce furent là des voyages ? Est-ce que ce fut même une vie, attendre, attendre seule au fond du Manitoba, pendant que j'allais en quête de moi-même sur les grandes routes du monde : Paris, Londres, Bruges, la Provence ; et aussi par de petites routes, pour ceux qui ont appris à ne pouvoir se passer de solitude, comme par exemple à travers une autre chaîne de collines, vers Ramatuelle dans les Maures, et, le long de la côte des Cornouailles, vers St. Ives, Tintagel ?…

Je lui envoyais des cartes postales, y griffonnant quelques mots : « Mère, si seulement tu pouvais voir Notre-Dame de Paris… » « les jardins de Kew par un jour de printemps… » « Mère, jamais tu ne pourrais imaginer quelque chose de plus parfait que Chartres aperçu au loin au-delà de la plaine de Beauce… »

Les espaces en attente, les vastes étendues solitaires et un peu poignantes de mon pays ne revenaient pas encore me pincer le cœur. Pas plus que les vies ignorées, au fond de petites villes de province, ne troublaient encore beaucoup l'ivresse de mes jeunes années. D'ailleurs, apprendre à se connaître et à écrire était bien plus long que je n'avais d'abord pensé.

Ma mère me répondait par de longues lettres patientes, douces, méticuleuses et menteuses, si menteuses. Elle m'affirmait avoir amplement de quoi vivre, n'ayant plus à présent beaucoup de besoins, ni même vraiment le désir de voyager. Une seule fois elle m'écrivit au sujet des collines, mais des plus lointaines de sa vie, que nous rattachions à la mémoire de grand-mère, me conseillant : « Quand tu reviendras au pays, si tu ne t'en trouves pas trop éloignée, va donc les voir. Ce n'est pas tellement loin de Montréal. On va jusqu'à Joliette. Ensuite on prend une route qui monte… »

Au-delà de l'océan, quel étrange dialogue avons-nous échangé, moi ne lui parlant guère que de mes découvertes, elle de si modestes repères que je ne pouvais songer encore à m'en émouvoir.

Elle m'approuvait maintenant. « Tu as bien fait de partir. L'hiver a été rude. Je vois que tu découvres, découvres ! Ce doit être exaltant ! Profite bien de tout pendant que tu es en France, et prends le temps qu'il faut… Mais oui, ma santé est bonne… Ce rhume est presque guéri. J'ai trouvé bien intéressant ce conte que tu as écrit… »

Pourtant ce n'était rien en regard de ce que je ferais pour elle, si seulement elle m'en donnait le temps. Mais toujours, toujours, je n'en étais qu'au commencement. Ignorant encore qu'il n'en pourrait jamais être qu'ainsi dans cette voie que j'avais prise, je me hâtais, je me pressais ; des années passèrent ; je me hâtais, je me pensais toujours au bord de ce que je voulais devenir à ses yeux avant de lui revenir. Et je pense bien que cette hâte où j'étais de ce que je deviendrais m'a caché tout le reste.

Ma mère déclina très vite. Sans doute mourut-elle de maladie, mais peut-être un peu aussi de chagrin comme en meurent au fond tant de gens.

Son âme capricieuse et jeune s'en alla en une région où il n'y a sans doute plus ni carrefours ni difficiles points de départ. Ou peut-être y a-t-il encore par là des routes, mais toutes vont par Altamont.

Chronologie

22 mars 1909

Naissance de Marie Rose Emma Gabrielle Roy, rue Deschambault, à Saint-Boniface (Manitoba) ; elle est la dernière enfant de Léon Roy et Mélina Landry.

1912

À la mort de son mari, la grand-mère maternelle de Gabrielle Roy, Émilie Landry, quitte la ferme de Saint-Léon, dans la région de la Montagne Pembina, où elle et sa famille se sont établis une trentaine d'années plus tôt, pour s'établir au village de Somerset, où ses enfants et ses petits-enfants lui rendent souvent visite.

1915-1928

Gabrielle Roy fait ses études primaires et secondaires à l'Académie Saint-Joseph de Saint-Boniface ; pendant les vacances, seule ou avec sa mère, elle fait de longs séjours à Somerset, chez sa grand-mère, ou non loin de là, entre Cardinal et Saint-Léon, à la ferme de son oncle Excide Landry, le frère cadet de Mélina.

1917

Mort de la grand-mère Émilie Landry à Saint-Boniface, chez Léon et

Mélina, où elle est venue s'installer l'automne précédent après avoir quitté sa maison de Somerset.

1928-1929

Gabrielle Roy reçoit sa formation pédagogique au Winnipeg Normal Institute. Mort de Léon Roy le 20 février 1929.

1929-1930

Premiers postes d'institutrice dans des villages manitobains, à Marchand d'abord, puis à Cardinal.

1930-1937

Gabrielle Roy est maîtresse de première année à l'Institut Provencher de Saint-Boniface (école de garçons) ; parallèlement, elle fait du théâtre avec la troupe du Cercle Molière et celle du Winnipeg Little Theatre ; premières publications dans des périodiques.

1937

Après avoir occupé pendant l'été un poste temporaire d'institutrice dans la région dite de La Petite-Poule-d'Eau *(Waterhen District)*, à quelque cinq cents kilomètres au nord de Winnipeg, Gabrielle Roy quitte le Manitoba le 29 août à destination de Montréal, d'où elle s'embarque pour l'Europe.

1937-1939

Séjour en Angleterre et en France ; études d'art dramatique ; voyages ; articles publiés dans *Je suis partout* (Paris) et dans des journaux manitobains.

1939-1945

De retour d'Europe, Gabrielle Roy s'établit au Québec et vit de la vente de ses textes à divers périodiques montréalais, notamment *Le Bulletin des agriculteurs*, auquel elle donne de grandes séries de reportages; parallèlement, elle entreprend la rédaction de *Bonheur d'occasion.* Devant beaucoup voyager pour la préparation de ses articles, elle vit d'abord à Montréal, puis à Rawdon, et fait de longs séjours estivaux à Port-Daniel (Gaspésie).

1943

Le 26 juin, à Saint-Boniface, mort de Mélina Landry.

1945

En juin, publication, à Montréal, de *Bonheur d'occasion.*

1947

La traduction anglaise de *Bonheur d'occasion (The Tin Flute)* est choisie comme livre du mois de mai par la Literary Guild of America (New York); en juin, Universal Pictures (Hollywood) acquiert les droits cinématographiques; en décembre, l'édition parisienne du roman obtient le prix Femina. Entre-temps, Gabrielle Roy a épousé le docteur Marcel Carbotte en août et a été reçue à la Société royale du Canada en septembre.

1947-1950

Gabrielle Roy et son mari passent trois ans en France; ils vivent quelques mois à Paris, puis s'installent dans une pension bourgeoise de Saint-Germain-en-Laye; Gabrielle fait des séjours en Bretagne, en Suisse et en Angleterre.

1950

Parution, à Montréal, de *La Petite Poule d'Eau*; l'année suivante, le livre est publié à Paris et la traduction anglaise *(Where Nests the Water Hen)* paraît à New York.

1950-1952

De retour de France, le couple s'installe d'abord dans la banlieue montréalaise, à LaSalle, puis à Québec, où Gabrielle Roy vivra jusqu'à la fin de sa vie.

1954

Publication d'*Alexandre Chenevert* à Montréal et à Paris; l'année suivante, la traduction anglaise paraît sous le titre *The Cashier.*

1955

Publication, à Paris puis à Montréal, de *Rue Deschambault,* dont la traduction anglaise *(Street of Riches)* paraîtra en 1956 et obtiendra le Prix du Gouverneur général du Canada.

1955-1960

À cette époque, Gabrielle Roy reprend son projet, conçu peu après la publication et le succès de *Bonheur d'occasion,* d'une grande « saga » inspirée de l'histoire de la famille Landry et de la jeunesse de sa mère, Mélina; ce projet, auquel elle aura beaucoup travaillé entre la fin des années 1940 et le début des années 1960, sera bientôt abandonné; mais il en restera des milliers de pages manuscrites, d'où se détachent quelques récits ou ébauches de récits, dont « La route d'Altamont ».

1956

Prix Duvernay de la Société Saint-Jean-Baptiste de Montréal.

1957

Gabrielle Roy fait l'acquisition d'une propriété à Petite-Rivière-Saint-François, où elle passera désormais tous ses étés.

1960

Parution, dans le premier numéro du magazine *Châtelaine* (octobre), d'un récit de Gabrielle Roy intitulé « Grand-mère et la poupée », dont une traduction anglaise, « Grandmother and the Doll », paraît au même moment dans l'édition torontoise du magazine : c'est une première version de ce qui deviendra « Ma grand-mère toute-puissante », le récit inaugural de *La Route d'Altamont.*

1961

Voyage en Ungava, puis en Grèce avec son mari ; à l'automne, publication à Montréal de *La Montagne secrète,* dont l'édition parisienne et la traduction anglaise *(The Hidden Mountain)* paraîtront l'année suivante.

1964

Pendant l'hiver, séjour en Arizona, où Gabrielle Roy assiste à la mort de sa sœur Anna.

1965

Au début de l'année, le manuscrit de *La Route d'Altamont* est terminé.

1966

Au début du printemps, *La Route d'Altamont* est publié à Montréal aux Éditions HMH ; quelques mois plus tard, la traduction anglaise, intitulée *The Road Past Altamont* et signée Joyce Marshall, paraît chez McClelland & Stewart (Toronto) et chez Harcourt Brace & World (New York).

1967

La Route d'Altamont est publié à Paris, aux Éditions Flammarion. En juillet, Gabrielle Roy est faite compagnon de l'Ordre du Canada.

1968

Doctorat honorifique de l'Université Laval.

1970

En mars, voyage à Saint-Boniface auprès de sa sœur Bernadette mourante ; à l'automne, publication de *La Rivière sans repos* et de sa traduction anglaise *(Windflower)*.

1971

Prix Athanase-David du gouvernement du Québec.

1972

Publication de *Cet été qui chantait*, dont la traduction anglaise *(Enchanted Summer)*, parue en 1976, obtiendra l'un des prix du Conseil des Arts du Canada pour la traduction.

1975

Parution d'*Un jardin au bout du monde*, dont la traduction anglaise *(Garden in the Wind)* sera publiée deux ans plus tard.

1976

Publication d'un album pour enfants, *Ma vache Bossie*.

1977

Publication de *Ces enfants de ma vie*, qui obtient le Prix du Gouverneur général du Canada et dont la traduction anglaise *(Children of My Heart)* paraîtra en 1979.

1978

Prix Molson du Conseil des Arts du Canada ; parution de *Fragiles*

Lumières de la terre, dont la traduction anglaise *(The Fragile Lights of Earth)* sera publiée en 1982.

1979

Publication d'un second album pour enfants, *Courte-Queue,* qui obtient le Prix de littérature de jeunesse du Conseil des Arts du Canada et paraît l'année suivante en traduction anglaise *(Cliptail).*

1982

Publication, à tirage limité, de *De quoi t'ennuies-tu, Éveline?* aux Éditions du Sentier (Montréal).

13 juillet 1983

Gabrielle Roy meurt d'un infarctus, à l'Hôtel-Dieu de Québec. Son autobiographie, *La Détresse et l'Enchantement,* sera publiée l'année suivante.

Écrits de Gabrielle Roy

Œuvres

Bonheur d'occasion, roman ; première édition : 1945 ; Montréal, Boréal, 2009, volume I de l'« Édition du centenaire » des *Œuvres complètes* de Gabrielle Roy ; Montréal, Boréal, 2009, collection « Boréal compact » (nº 50).

La Petite Poule d'Eau, roman ; première édition : 1950 ; Montréal, Boréal, 2009, volume II de l'« Édition du centenaire » des *Œuvres complètes* de Gabrielle Roy ; Montréal, Boréal, 2012, collection « Boréal compact » (nº 48).

Alexandre Chenevert, roman ; première édition : 1954 ; Montréal, Boréal, 2010, volume III de l'« Édition du centenaire » des *Œuvres complètes* de Gabrielle Roy ; Montréal, Boréal, 2013, collection « Boréal compact » (nº 62).

Rue Deschambault, roman ; première édition : 1955 ; Montréal, Boréal, 2010, volume IV de l'« Édition du centenaire » des *Œuvres complètes* de Gabrielle Roy ; Montréal, Boréal, 2010, collection « Boréal compact » (nº 46).

La Montagne secrète, roman ; première édition : 1961 ; Montréal, Boréal, 2011, volume V de l'« Édition du centenaire » des *Œuvres complètes* de Gabrielle Roy ; Montréal, Boréal, 2011, collection « Boréal compact » (nº 53).

La Route d'Altamont, roman ; première édition : 1966 ; Montréal, Boréal, 2011, volume VI de l'« Édition du centenaire » des *Œuvres complètes* de Gabrielle Roy [suivi de *De quoi t'ennuies-tu, Éveline ?*] ; Montréal, Boréal, 2014, collection « Boréal compact » (nº 47).

La Rivière sans repos, roman précédé de « Trois nouvelles esquimaudes » ; première édition : 1970 ; Montréal, Boréal, 2011, volume VII de l'« Édition du centenaire » des *Œuvres complètes* de Gabrielle Roy ; Montréal, Boréal, 1995, collection « Boréal compact » (nº 63).

Cet été qui chantait, récits ; première édition : 1972 ; Montréal, Boréal, 20912, volume VIII de l'« Édition du centenaire » des *Œuvres complètes* de Gabrielle Roy [suivi de deux contes pour enfants] ; Montréal, Boréal, 1993, collection « Boréal compact » (nº 45).

Un jardin au bout du monde, nouvelles ; première édition : 1975 ; Montréal, Boréal, 2012, volume IX de l'« Édition du centenaire » des *Œuvres complètes* de Gabrielle Roy ; Montréal, Boréal, 2012, collection « Boréal compact » (nº 54).

Ces enfants de ma vie, roman ; première édition : 1977 ; Montréal, Boréal, 2012, volume X de l'« Édition du centenaire » des *Œuvres complètes* de Gabrielle Roy ; Montréal, Boréal, 2013, collection « Boréal compact » (nº 49).

Fragiles Lumières de la terre, écrits divers ; première édition : 1978 ; Montréal, Boréal, 2013, volume XI de l'« Édition du centenaire » des *Œuvres complètes* de Gabrielle Roy ; Montréal, Boréal, 1996, collection « Boréal compact » (nº 77).

De quoi t'ennuies-tu, Éveline ?, récit ; première édition : 1982 ; Montréal, Boréal, 2011. Volume VI de l'« Édition du centenaire » des *Œuvres complètes* de Gabrielle Roy [précédé de *La Route d'Atamont*] ; Montréal, Boréal, 1988, collection « Boréal compact » (nº 8) [suivi de *Ély ! Ély ! Ély !*].

La Détresse et l'Enchantement, autobiographie ; première édition : 1984 ; Montréal, Boréal, 2013, volume XII de l'« Édition du centenaire » des *Œuvres complètes* de Gabrielle Roy [suivi de *Le Temps qui m'a manqué*] ; Montréal, Boréal, 1996, collection « Boréal compact » (nº 7).

Le Temps qui m'a manqué, autobiographie, édition préparée par Dominique Fortier, François Ricard et Jane Everett, Montréal, Boréal, 1997 ; Montréal, Boréal, 2013, volume XII de l'« Édition du centenaire » des *Œuvres complètes* de Gabrielle Roy [précédé de *La Détresse et l'Enchantement*] ; Montréal, Boréal, 2000, collection « Boréal compact » (nº 100).

Contes pour enfants [*Ma vache Bossie, Courte-Queue, L'Espagnole et la*

Pékinoise, L'Empereur des bois], Montréal, Boréal, 1998 ; premières éditions : 1976, 1979, 1986.

Correspondance et autres écrits

Ma chère petite sœur. Lettres à Bernadette (1943-1970), nouvelle édition préparée par François Ricard, Dominique Fortier et Jane Everett, Montréal, Boréal, 1999, collection « Cahiers Gabrielle Roy » ; première édition : 1988.

Le Pays de Bonheur d'occasion *et autres récits autobiographiques épars et inédits*, édition préparée par François Ricard, Sophie Marcotte et Jane Everett, Montréal, Boréal, 2000, collection « Cahiers Gabrielle Roy ».

Mon cher grand fou... Lettres à Marcel Carbotte (1947-1979), édition préparée par Sophie Marcotte, Montréal, Boréal, 2001, collection « Cahiers Gabrielle Roy ».

Intimate Strangers. The Letters of Margaret Laurence and Gabrielle Roy, édition préparée par Paul G. Socken, Winnipeg, University of Manitoba Press, 2004.

Femmes de lettres. Lettres à ses amies (1945-1978), édition préparée par Ariane Léger, François Ricard, Sophie Montreuil et Jane Everett, Montréal, Boréal, 2005, collection « Cahiers Gabrielle Roy ».

Rencontres et Entretiens avec Gabrielle Roy (1947-1979), édition préparée par Nadine Bismuth, Amélie Desruisseaux-Talbot, François Ricard, Jane Everett et Sophie Marcotte, Montréal, Boréal, 2005, collection « Cahiers Gabrielle Roy ».

In Translation. The Gabrielle Roy-Joyce Marshall Correspondence, édition préparée par Jane Everett, Toronto, University of Toronto Press, 2005.

Heureux les nomades et autres reportages (1940-1945), édition préparée par Antoine Boisclair, François Ricard, Jane Everett et Sophie Marcotte, Montréal, Boréal, 2007, collection « Cahiers Gabrielle Roy ».

Table des matières

Crédits et remericements

Les Éditions du Boréal reconnaissent l'aide financière du gouvernement du Canada par l'entremise du Fonds du livre du Canada (FLC) pour leurs activités d'édition et remercient le Conseil des Arts du Canada pour son soutien financier.

Les Éditions du Boréal sont inscrites au Programme d'aide aux entreprises du livre et de l'édition spécialisée de la SODEC et bénéficient du Programme de crédit d'impôt pour l'édition de livres du gouvernement du Québec.

Illustration de la couverture : William Kurelek, *Ferme des environs de Toronto* (détail), 1963.
Collection du Musée des Beaux-Arts de Montréal. Photo : MBAM.

MISE EN PAGES ET TYPOGRAPHIE :
LES ÉDITIONS DU BORÉAL

CE DIXIÈME TIRAGE A ÉTÉ ACHEVÉ D'IMPRIMER EN AOÛT 2014
SUR LES PRESSES DE MARQUIS IMPRIMEUR
À MONTMAGNY (QUÉBEC).